Lightning Source UK Ltd.
Milton Keynes UK
UKHW021606130123
415295UK00016B/1276

المهارات الخمس لصياغة قانونية رفيعة

كيف تسطر مسيرتك المهنية بقلمك في خمس خطوات سريعة

للقانونيين وطلاب القانون من المحيط للخليج

أيـمــن عبد الرحــمــن خـيــــر

ملحوظة واخلاء للمسؤولية

جميع حقوق الطبع والنشر والتأليف محفوظة للمؤلف ولا يجوز إعادة انتاج أو تخزين هذا الكتاب أو أي جزء منه بأي نظام لتخزين المعلومات أو استرجاعها أو نقلة بأي وسيلة الكترونية أو آلية أو من خلال التصوير أو التسجيل أو بأي وسيلة أخرى بدون اذن مكتوب وصريح من المؤلف.

ان المؤلف لا يقدم أي ضمانات من أي نوع كان حول ملائمة هذا الكتاب لأي غرض معين أو تحقيق أي هدف بعينه. لقد أعدت هذه النسخة لأغراض تعليمية ومعرفية بحته وبذلك فأنها لا تغني عن الحصول على استشارة قانونية من محام متخصص في المسألة موضوع البحث، كما أن المؤلف لا يتحمل أي مسؤولية من أي نوع كان قد تنتتج من استخدام هذا الكتاب.

ISBN 9789778213621

ماذا قالوا عن هذا الكتاب؟

اتقان فن الصياغة القانونية هو أساس نجاح العاملين في المجال القانوني ومن يبحث عن اتقان هذا الفن والتميز والابداع والنجاح فيه فان... [هذا الكتاب] يقدم إجابات شافية وحلولاً عملية في هذا المجال. حاول المؤلف فيه بأسلوب شيق وجميل أن يجمع بين التبسيط في الشرح دون اخلال وتقديم المعلومة التي يحتاجها القانوني وذلك يجعل هذا الكتاب في قائمة الكتب التي لا غنى عنها لكل القانونيين العرب. الكتاب يجمع بين الممارسات العالمية وما يحتاجه القانوني العربي مراعياً خصوصية مهنة القانون في الدول العربية. ان المكتبات العربية في حاجة ماسة لمثل هذا الكتاب لأنه من قبيل الدروس العملية التي تحضر القانوني للعمل اليومي في المهنة.

د. حسين الغافري

خبير قانوني في علم الجرائم الالكترونية والتدريب القانوني وعميد عمادة القانون بالجامعة العربية المفتوحة بسلطنة عمان.

***

لقد سعدت بقراءة... [هذا الكتاب] وأعجبت بأسلوب الكاتب الذي يجمع بين بساطة الشرح وعمق المعنى ليجعل القارئ ينتقل بين صفحات الكتاب في تشوق لما يأتي بعده. الكتاب يقدم طريقة علمية ومنهجية للصياغة القانونية بطريقة عصرية وعملية، ولكنها تتخطى الحدود الجغرافية للدول العربية، لتجعل الكتاب يصلح لكل القانونيين العرب بغض النظر عن الأقطار التي يمارسون فيها مهنتهم.
الكتاب يقرب الشقة بين العلم النظري في الجامعات وكليات القانون وبين التطبيق الفعلي للمهنة على أرض الواقع دون أن يتخلى عن الروح الناقدة للقانوني.

عبد الحليم عامر محمد أحمد

رئيس قسم التقاضي والتحكيم (عمان)، التميمي والبرواني ومشاركوهم- محام ومستشار قانوني متخصص في النزاعات التجارية والمدنية ونزاعات التحكيم. حصل حليم على بكالوريوس القانون بمرتبة الشرف من جامعة الخرطوم كما حصل على ماجستير القانون الأمريكي والقانون المقارن ودكتوراه فقه القانون (JD) من كلية القانون بجامعة دينفر بالولايات المتحدة. عمل حليم في مجال المحاماة في السودان والولايات المتحدة قبل انتقاله للعمل بسلطنة عمان منذ سنة 2009.

هذا الكتاب يفتح أعيننا على آفاق جديدة للصياغة القانونية بعيداً عن الأساليب التقليدية التي اعتدنا عليها وبذلك يكون هذا الكتاب فريداً في طريقة تناوله لموضوع الصياغة القانونية الاحترافية. ان المنهجية التي يدعو لها الكتاب تنسجم مع العقل والمنطق لأنها تستند على أساليب علمية تهتم بالمضمون والشكل معاً. في هذا الكتاب يقدم المؤلف أيمن عبد الرحمن خير أسلوباً سلساً في الكتابة يغوص في لب الإشكالات التي تواجه القانونيين ويضع لها التشريح المناسب والعلاج الناجع.

أتمنى أن ينهل الجيل الجديد من القانونيين من العلم القانوني الذي يطرحه الكتاب ويتخذ الأسلوب العلمي والعملي سبيله في تحقيق النجاح المهني.

عبد العزيز الراشدي

الشريك المؤسس بمكتب عبد العزيز الراشدي ومنذر البرواني للمحاماة والاستشارات القانونية (مكتب بي أس أي بن شبيب) بمسقط.

***

قد تشرفت بقراءة مسودة هذا الكتاب الذي يفتح الطريق أمام القانونيين بكل مستوياتهم؛ حيث يشتمل على أهم الأساليب المعاصرة للصياغة القانونية التي يلخصها الكتاب في المهارات الخمس. كما يقدم المؤلف أيمن عبد الرحمن خير منهجية علمية للصياغة القانونية ويقدم الكتاب أيضا تمارين عملية لكي تساعد القارئ على الاستفادة القصوى من الكتاب .

كما يشمل الكتاب في الجزء الثاني منه على تطبيقات المهارات الخمس في المذكرات والاستشارات القانونية التي يحتاجها القانوني. شخصيا أتمنى ان أرى هذا الكتاب في المكتبات القانونية في الجامعات العربية.

دكتورة صورية مزوز

قانونية وأكاديمية من الجزائر.

[هذا الكتاب] ...يقدم طريقة مبتكرة، ولكن فعالة للكتابة القانونية المعاصرة بأسلوب عملي ومحكم. في الجزء الأول من الكتاب يقدم الكتاب منهجية المهارات الخمس بطريقة سهلة الهضم بينما يعرض الجزء الثاني تطبيقات عملية لهذه المنهجية عن طريق استعراض صياغة المذكرات القانونية والاستشارات.

لقد جمع المؤلف خلاصة الخبرات العملية التي يحتاجها القانوني في عمله ومزجها بالعلوم الحديثة في مجال الصياغة القانوني ليقرب القانوني العربي من المجال العالمي في الصياغة الاحترافية. هذا الكتاب إضافة حقيقية للمكتبة العربية القانونية.

مرتضى عبد الله خيري عبد الله

أستاذ القانون المدني المشارك ورئيس قسم القانون الخاص بكلية الحقوق بجامعة الشرقية في سلطنة عمان.

الاهداء

الى روح والديّ رحمهما الله وأنزلهما فسيح جناته. الى روح والدي الذي كانت حياته متمحورة حول القرآن وتعلمه وتعليمه والذي يرجع اليه الفضل بعد الله سبحانه في تعليمي حب العلم والتعلم.

الى أبنائي ورفقاء دربي عبير وعبد الرحمن وديمة الذين استلهمت منهم السعي والاجتهاد لتوفير أسباب العلم والتعلم. الى أشقائي وشقيقاتي الذين كانوا ولا زالوا بجانبي في كل خطوة يقدمون الدعم والدعاء والحب بلا شرط ولا قيد. الى الشعب العماني المضياف الذي احتضنني وأسرتي لسنوات عديدة مما دفعني للعودة للعيش في عمان بعد رحلة هجرتي الى كندا.

اليكم جميعا أهدي هذا الكتاب الذي أسأل الله أن يكون سبباً في زيادة الوعي بأهمية الصياغة القانونية وأن يكون إضافة للمكتبة القانونية العربية.

أيمن عبد الرحمن خير

مسقط، سبتمبر 2022

جدول المحتويات

جدول المحتويات التفصيلي

Table of Contents

تمهيد

" ليس من المحتم عليك الكتابة بصورة جيدة، مجرد الكتابة هي الجنة."

ناتالي جولدبيرج

قصة الكتاب

الكتابة تلبي رغبات عميقة لدى الانسان

منذ قديم الأزل كانت للإنسان حاجة عميقة في تخليد اسمه بعد موته وكان يقوم بتلبيتها بعدة طرق. فقد كان ملوك وفراعنة مملكة كوش النوبية وقدماء المصريين يقومون ببناء الأهرامات لدفنهم بغرض تخليد اسمهم بعد مماتهم. ولكن كانت الكتابة من الوسائل التي استخدمها الانسان أيضاً لكي ينقل تجاربه للآخرين، فقد قام إنسان الكهوف برسم الحيوانات التي اصطادها وقصص المعارك التي خاضها، وكلها ألوان من الكتابة التي ينقل بها الإنسان قصته وتجاربه للأجيال القادمة (عماد، 2018) . فالكتابة تلبي حاجة متأصلة في الانسان في أن ينقل قصته وأفكاره للأجيال القادمة مخلداً بذلك اسمه وراسماً بذلك بصمته في ذاكرة الزمان. والقانونيون ليسوا استثناء فمن خلال كتاباتهم ينقلون أفكارهم وتجاربهم داخل وخارج مهنة القانون. إذن إجادة الكتابة تنسجم مع إحدى الرغبات الأساسية في الانسان وتحقق له اشباعاً ليس له نظير وبصورة لا تضاهيها أي صورة أخرى من صور الإشباع الذاتي. لذلك ففي هذا الكتاب ستتعرف على الاستراتيجيات التي تساعدك على إجادة فن الكتابة والتعبير عن الذات ونقل أفكارك للعالم من حولك بصورة مرتبة ومتسقة مع أهدافك ومراميك.

لماذا المهارات الخمس؟

لقد تأثرت كثيراً بكتاب ستيفن كوفي **"العادات السبع للناس الأكثر فعالية"** (وأنصح الجميع بقراءته). وحيث يقترح كوفي المهارات السبع كطريقة ونظام للحياة (كوفي،2018، من صفحة 58 الى 75) فإنني أضع المهارات الخمس كطريقة للكتابة بحيث تصبح جزءاً من حياتك المهنية. ولا يعني ذلك أن عليك أن تطبقها بحذافيرها في كل مستند تكتبه، ولكن استخدمها كوسيلة لرسم خارطة الطريق بحيث تأخذ منها ما يناسبك وبالطريقة التي تخدم أهدافك.

إن لب الكتابة القانونية يعتمد على قدرتك على تقمص شخصيات متعددة تناسب المهارة أو المرحلة التي تمر بها الكتابة القانونية. فمن خلال التجارب التي مررت بها فان التهيئة الذهنية المناسبة كانت حجر الزاوية في الكتابات الناجحة التي قمت بها. بمعنى آخر فإن المسألة تعتمد على الاستعداد الذهني والحالة الذهنية والنفسية التي تضع فيها نفسك في كل مرحلة من مراحل الكتابة.

إن التعرُف على المهارات الخمس يمهد الطريق لكي تكون لك طريقتك الخاصة في الكتابة بصورة منهجية وعلمية بحيث تتوائم مخرجات الكتابة مع الأهداف التي ترمي إلى تحقيقها. كما أنها تساعدك على التفكير النقدي والتحليلي بصورة منطقية بحيث تتعمق معرفتك بالموضوع الذي تكتب عنه فقد أثبتت الدراسات أن الكتابة تشكل عنصراً قوياً في التركيز وفي الفهم. فحين تقوم بكتابة أفكارك فإنك تقوم بعمل فكري وابداعي في وقت واحد وبذلك تنشط خلايا العقل بشقيه الأيمن والأيسر فيتسع الإدراك وتتدفق الأفكار من خلال الكتابة. إن الكتابة نشاط ذهني فريد ينمي العقل وينشط خلاياه وينتج عن هذه العلميات الفكرية اتساع في المعرفة والخيال والابداع بصورة تحقق المتعة والإنجاز في آن واحد. بل ان كتابة الخواطر والأحاسيس التي تمر بها قد يكون لها تأثير السحر في تحسين المزاج والوصول الى حلات السكينة والطمأنينة عندما تتلاطمنا أمواج الحياة العاتية وتعصف بنا هموم الدنيا ومشاكلها.

ان منهجية المهارات الخمس التي يعرضها هذا الكتاب مستمدة من تجارب تراكمت في عشرات السنين بالإضافة لدراسة أقوال الخبراء من مختلف دول العالم فهمي تشكل طريقة علمية ومنهجية وتصلح كأساس للكتابة سواء كان ذلك باللغة العربية أو اللغة الإنجليزية (مع مراعاة خصوصية كل لغة). أنني لا أقول هنا بأن هذا

الكتاب سيدرسك الكتابة باللغة الإنجليزية وانما أقصد أنه يمكنك أن تستفيد من المنهجية العلمية التي تقدمها المهارات الخمس وتطبقها حتى حينما تكتب باللغة الإنجليزية. ومن ناحية أخرى فان مهارات التعلم واستراتيجيات التطور المهني التي تتضمنها المهارة الأولى في هذا الكتاب لا تقتصر على الكتابة باللغة العربية وانما يمكن تطبيقها على جميع نواحي الحياة المهنية والشخصية على حد سواء.

في الجزء الثاني من الكتاب ستجد أمثلة تطبيقية للمهارات الخمس وكيف يمكن ترجمتها على الواقع العملي من خلال تناول صياغة الاستشارات القانونية وصياغة المذكرات القانونية حيث إن هذين الموضوعين يشكلان حجر الزاوية في أعمال الصياغة القانونية التي يمارسها معظم المشتغلين بمهنة القانون. وستجد أيضا أمثلة لنمازج صحف دعاوى يمكنك استخدامها في صياغة صحف الدعاوى بالإضافة لقائمة تذكرك بالأعمال المطلوبة.

رسالتك للعالم

بعد أن تتقن فن الكتابة تتاح لك الفرصة للتأثير على العالم من حولك وبذلك تتاح لك الفرصة لإحداث التغيير. فأنت كقانوني عليك واجب الدفاع عن قضايا وحقوق موكلك، ولكن عليك أيضا المساهمة بقدر ما تستطيع في أعمال المساعدة القضائية من خلال التبرع للدفاع مجانا عمن لا يملكون القدرة على توكيل محام ضمن المسؤولية الملقاة على عاتقك بموجب مواثيق المهنة لأن الفقر لا يجب أن يكون حاجزاً يمنع المحتاجين من الحصول على العدالة.

الكتابة أيضا ستمدك بالوسائل الكفيلة لزيادة الوعي بين أفراد المجتمع بالمسائل القانونية التي تهم حياتهم ومصالحهم وتجنبهم الإشكالات القانونية التي تنجم عن الجهل القانون. ستمدك الكتابة بالوسائل اللازمة لخدمة القضايا التي تهم مجتمعك أياً كان نوع هذه القضايا طالما كانت تخدم مصالح الناس كافة وتنفعهم بغض النظر عن طبقتهم الاجتماعية، أو جنسيتهم، أو معتقدهم، يقول الله تعالى: **(ولقد كرمنا بني آدم وحملناهم في البر والبحر)**. وعليه فان تكريم الإنسان جاء بسبب تكريمه من قبل خالقه لأن الله قد خلق جميع البشر ومن ثم فإن البشر يستحقون الكرامة الإنسانية لأنهم من صنع الله سبحانه وتعالى.

الكتابة هي البوابة

إذا كنت تقرأ هذا الكتاب فهذا يعني أنك شخص يسعى للقمة والتميز في مجال الكتابة القانونية ويسعى للوصول بكتابته للمرحلة التالية من الإجادة والاتقان، ولكن مهما كان الغرض الذي تسعى إليه فاني أود أن أعبر لك عن شكري لاختيارك لهذا الكتاب وعلى أن سمحت لي أن أصحبك في هذه الرحلة التي سنقضيها معا. هذا الكتاب سيغير نظرتك للكتابة القانونية التي كنت تمارسها قبل قراءته.

بعد قراءة هذا الكتاب ستتعرف على مهارات كامنة لديك، ولكنها كانت في حالة سكون تنتظر الشرارة التي تشعلها للانطلاق في فضاءات الكتابة القانونية لتجعل الكتابة أكثر متعة وأكثر إشباعا. وستصبح أكثر ثقة في مهاراتك ككاتب قانوني محترف مما سيقودك لمزيد من النجاح. هل أنت مستعد للتحدي؟

متى كانت المرة الأخيرة التي قمت فيها بشحذ فأسك؟

يروى عن الرئيس الأمريكي لينكولن مقولته الشهيرة " لو كان لدي ثماني ساعات لقطع شجرة لأنفقت منها ست ساعات في شحذ فأسي". من أخطر الآفات التي نعاني منها نحن معشر القانونيين أننا مشغولون بقطع الأشجار دون أن نولي الاهتمام الكافي بشحذ[1] أهم أداة نستخدمها في مهنتنا وهي كتابتنا. فبعد تخرجنا من كليات القانون واجتيازنا لفترات التدريب المقررة والامتحانات المؤهلة ومن ثم نيلنا لرخصة ممارسة المهنة فإن معظمنا ينهمك في أعمال القانون المتعلقة بالصياغة القانونية معتمداً على ما تعلمه في مرحلة الدراسة الجامعية وما تعلمه من المحامي الذي تدرب على يديه في مرحلة التدريب التأهيلي دون تخصيص الوقت والموارد اللازمين لتحسين مهارات الكتابة القانونية بطريقة علمية ومنهجية. بل إن التقاليد التي نتوارثها من الأجيال السابقة من المحامين تساهم في خلق قناعات مترسخة حول أسلوب الكتابة القانونية الذي نتبعه دون أن نتفحص ذلك بصورة ناقدة ومستقلة. وعليه تكون النتيجة هي سيادة أنماط من الكتابة القانونية ورثناها من الأجيال السابقة ونقوم بتوريثها لمن يلينا من المحامين الذين

[1] للتعرف على مفهوم شحذ الفأس أنظر المرجع السابق لستيفن كوفي (2018) ص 321 وما بعدها.

يضعهم حظهم في مرمى سهام إشرافنا وقيادتنا. وحين نُسأل عن ذلك فإن جوابنا هو: إن هذا ما وجدنا عليه آباءنا ونحن على آثارهم مقتدون.

من النقد الذي يطال الكتابات القانونية أنها تتسم بالإطالة والتكرار والجفاف وأنها تضج بعبارات عفا عليها الدهر، ومن ثم فهي تبعث الملل في نفس القارئ، وينفر منها غير القانونيين بحيث لا يقرأها صاحب الحاجة إلا مضطراً، سواء أكان ذلك المسكين هو طالب في كليات القانون يحتاجها للتخرج من الكلية، أو محام بذل له المال لكي يقرأها، أو قاضٍ عليه اصدار حكم في دعوى أمامه ولا خيار له سوى قراءتها. إفتح أحد الملفات التي تعمل عليها وأنظر إلى المذكرة التي كتبها محامي الخصم هل تشعر بالتشوق لقراءتها؟ ماذا عن آخر حكم اطلعت عليه؟ هل سترغب في قضاء أمسية الخميس في الاستمتاع بقراءته؟ هل تشعر أنك تحتاج لبندول بعد قراءة العديد من المذكرات؟

ومن خلال مسيرتي في مهنة القانون ومن خلال اطلاعي على المذكرات القانونية وكتابات القانونيين، فإنني أجد أن هذا النقد في محله، حيث إنني لم أسلم من هذه الآفات التي كانت تصيب كتاباتي القانونية من مذكرات أو عقود أو مقالات. وكانت المرة الأولى التي أتنبه فيها لهذا الخلل عن طريق بروفيسور بجامعة تورنتو في كندا عندما واجهتني صعوبات في الوفاء بمتطلبات المذكرات المطلوبة في الكلية بسبب النقص الذي كان يشوب كتاباتي القانونية في تلك الفترة. وفي أثناء رحلتي في علاج هذا الخلل تعرفت على نظام المهارات الخمس الذي أعرضه في هذا الكتاب. في البداية فقد ذهلت من ملاحظات البروفيسور لأنها تناولت أساليب كنت أعدها من المسلمات. وهنا قد يقول البعض أن هذه الصعوبات والملاحظات خاصة بالكتابة باللغة الإنجليزية ولا يجوز إعمالها على الكتابة باللغة العربية للاختلاف البيّن بين اللغتين. ولكن هذا القول في غير محله، لأن العيوب المتعلقة بالإطالة والتكرار لم تسلم منها كتابات القانونيين الذين يكتبون باللغة الإنجليزية أيضاً، بسبب أن مصدر هذه العيوب واحد في الحالتين: وهو اتباع تقاليد متجذرة تقاوم التغيير.

ومن النقد الذي يطال كتابات بعض القانونيين أنها تتجاهل بعض قواعد النحو والصرف التي يلتزم بها الكتاب في مجالات أخرى مثل الأدب والإعلام. وقد يرد القانونيون على النقد الموجه إلى كتاباتهم بأن هذا النقد يخطئ فهم الطبيعة الخاصة للكتابة القانونية وأولوياتها. فحيث أن أولويات الكتابة الأدبية هي امتاع القارئ (من

خلال جمال الأسلوب ورشاقة العبارات) فان أولويات الكتابة القانونية هي اقناع المتلقي أو صانع القرار بتبني حجة الكاتب القانوني (قد يكون المتلقي هو القاضي أو المحكم أو الطرف الثاني في العقد). ولذلك فان الحاجة للوضوح والاقناع تفرض على الكتابة القانونية الطابع الذي يميزها وتبيح لها الخروج على قواعد النحو والصرف لتحقيق غايات الوضوح والدقة مثلما يبيح الشاعر لنفسه الخروج على قواعد النحو والصرف للوصول للقافية التي تلهب خيال المتلقي وتطرب أذن المستمع. وفي رأي المؤلف فان من الحكمة الموازنة بين ضرورة الالتزام بقواعد اللغة وضوابطها وبين الحاجة للوضوح وللإقناع وعلى القانوني أن يصغي الى حدسه لمعرفة الخط الفاصل والمنطقة الوسطى في هذه المعادلة الدقيقة.

في هذا الكتاب سأقوم بوضع الكتابة القانونية العربية تحت المجهر لتشريح أمراضها وعللها ومن ثم تقديم وصفات العلاج وأساليب الشفاء. ستجد في نهاية كل باب من أبواب الكتاب تمارين عملية بغرض مساعدتك على تطبيق ما تعلمته على ملفات حقيقية تعمل عليها وأنصحك بالاستفادة من هذه التمارين لتحقيق الفائدة القصوى من الكتاب. ان الربط بين القراءة والتطبيق العملي لا يساعدك فقط في استيعاب هذا الكتاب، بل يعمل على تنشيط خلايا عقلك بحيث تترسخ المعرفة بينما تتفتح لك آفاق جديدة وأفكار متنوعة في تطوير مهاراتك في الكتابة وحب القلم. ان اتباع هذا الأسلوب سيجعل قراءة الكتاب عملية تفاعلية مع الكتاب ومادته بدلاً من أن تكون عملية في اتجاه واحد، وأنصحك بجعلها عادة تطبقها على جميع الكتب التي تقرأها بحيث تسجل ملاحظاتك عقب كل باب من أبواب الكتاب، متفكراً فيما قرأت ومضيفاً تجاربك وانطباعاتك عن المواضيع التي يتناولها الكتاب. ولقد جربت هذه الطريقة في الكتب التي أقرأها وتجمعت لدي ذخيرة من المسودات والملاحظات التي يمكنني الرجوع اليها في العديد من المشاريع التي أعمل عليها كما يمكنني الإضافة اليها والتعديل عليها مما يزيد من استيعابي للمادة موضوع البحث.

هذا الكتاب لا يدعي بأنه سيشفي كل كتابة من علتها أو بأنه سيعالج جميع الأمراض، ولكن هذا الكتاب يضع بين يديك العادات الناجعة والمهارات الفاعلة التي ستساعدك على اكتشاف العلة بنفسك، ومن ثم الوصول للعلاج المناسب؛ هذا الكتاب سيساعدك على أن تكون طبيب نفسك بحيث تشخص عيوب الكتابة وتصلحها بنفسك.

لمن هذا الكتاب؟

إن المهارات الخمس المضمنة في هذا الكتاب هي ثمرة عمل امتد لسنوات طويلة قمت خلالها بمراجعة آلاف المذكرات القانونية في أثناء ممارسة مهنة القانون في كل من السودان وسلطنة عمان وكندا، مما أتاح لي فرصة نادرة في التعرف على أنماط متنوعة من الكتابة القانونية باللغة العربية والانجليزية. لقد ساعدتني هذه العادات في صياغة العديد من المذكرات المعقدة وصياغة مئات العقود وكتابة العديد من المقالات المنشورة في مجلات ودوريات رائدة مثل مجلة قانون الأعمال لدول الشرق الأوسط وشمال أمريكا التي تصدرها مؤسسة ليكزس نيكزس ومجلة الغرفة التي تصدرها غرفة تجارة وصناعة عمان.

وفي هذا الكتاب فأنا لا أدعي الكمال أو معرفة جميع الإجابات، ولكن هذا الكتاب يضع الخبرات العملية في مجال الكتابة القانونية التي تجمعت خلال 25 عاما من الممارسة القانونية، وذلك بعد مزجها مع الدراسة الأكاديمية من أعرق الجامعات في السودان وبريطانيا وكندا مع الدراسة غير الأكاديمية من خلال أمهات الكتب التي تناولت الكتابة القانونية. ستجد في هذا الكتاب مراجع لقامات قانونية سامقة أشير اليها في نهاية الكتاب وفي متنه وأنا مدين لهم بالمعرفة التي استقيتها من هؤلاء العلماء وأدين لهم بالامتنان كله، كما أنني قمت أيضا بإضافة تجاربي الخاصة وفهمي لهذه العلوم وتطبيقاتها العملية في المسائل التي مرت علي في الممارسة المهنية بحيث يجمع هذا الكتاب بين العلم النظري والتطبيق العملي.

ان أسلوب ومنهجية هذا الكتاب لا تتبع الأساليب التقليدية في الكتابات القانونية، بل يتبنى هذا الكتاب الأسلوب المباشر مرتكزا على مخاطبة القاري في شكل حواري مبسط، وهذا الأسلوب أصبح أكثر شيوعا في الكتابة باللغة الإنجليزية منها في اللغة العربية. لذلك لن تجد عبارات مثل "يعتقد الباحث" وانما ستجد عبارات مثل "أعتقد" لأن ذلك يجعل الكتابة تبدو حميمية وتلقائية بصورة أكبر.

هذا الكتاب ليس موجهاً فقط إلى طلاب كليات القانون والمحامين المبتدئين، بل يمتد إلى المحامين والقانونيين المخضرمين أيضاً وذلك بسبب أنه يحاول تغيير بعض المفاهيم التي ترسخت في مهنة القانون، ولكن نخرها السوس من الداخل

بحيث لم تعد تخدم الأهداف التي شرعت من أجلها؛ بل أصبحت عقبه في طريق تحقيق الأهداف التي يسعى أصحابها الى تحقيقها.

كيف تقرأ هذا الكتاب؟

هذا الكتاب مكون من جزئين يتناول الجزء الأول المهارات الخمس وهي: (أ) مهارة الاعداد و(ب) التحليل القانوني و(ج) الصياغة ثم (د) التدقيق وأخيرا (هـ) مهارة الإخراج. وفي الجزء الثاني من الكتاب ستجد أمثلة تطبيقية للمهارات الخمس مثل صياغة صحف الدعاوى والمذكرات وصياغة الاستشارات القانونية. انني أنصح بقراءة الكتاب وفق التسلسل الموضح فيه، وفي نهاية كل مهارة ستجد تمارين أنصحك بتجربتها لكي ترسخ ما تعلمته. ولكن يمكنك أيضا أن تتجه مباشرة للجزء الذي تعتقد أنك تريد التركيز عليه أو أنك تحتاج أن تبدأ منه. لذلك فعليك قراءة هذا الكتاب بالطريقة التي تناسب احتياجاتك وميولك ويمكنك أيضا أن تجعله كمرجع تعود اليه متى ما شئت ومتى احتجت اليه.

أدعوك الآن لربط الأحزمة استعداد للإقلاع في رحلة ستغير حياتك المهنية للأبد.

الجزء الأول

المهارات الخمس للصياغة القانونية

المهارة الأولى: التخطيط

" قبل الرماء تملأ الكنائن."

مثل عربي قديم

من لا يخطط فهو يخطط للفشل

(أ) اعداد الكاتب قبل الكتابة

قبل أن تشرع في التخطيط للكتابة يجب أن تخطط لإعداد الكاتب: وهو أنت.

ليس المقصود من هذا الكتاب طرح استراتيجيات للكتابة بالطريقة التقليدية التي قد تجدها في العديد من الكتب التي تتناول هذه الموضوع، وانما المقصود هو جعل الكتابة هي وسيلتك للتعبير عن رسالتك والأداة التي تستخدمها للوصول لأهدافك بحيث تكتسب مهارات تستمر معك لبقية حياتك. ولن يتأتى ذلك إذا كنت تتعامل مع هذا الكتاب بصورة تقليدية جامدة وإنما عليك أن تقوم بدور فاعل وإيجابي في أثناء قراءتك للكتاب من خلال القيام بالتمارين التي تجدها في نهاية كل فصل من فصول الكتاب إذا كنت تريد تحقيق أقصى منفعة منه.

مفهوم وضع الأهداف

في كتاب العادات السبعة للناس الأكثر فعالية يتحدث الكاتب ستيفن كوفي عن المهارة الثانية وهي **"أن تبدأ والغاية التي تريدها في ذهنك"** (كوفي، 2018، صفحة 113)، ومعنى ذلك أن عليك تحديد الهدف الذي تسعى إليه، بأن تضع في ذهنك بصورة واضحة وحية أهدافك التي تريد الوصول إليها قبل أن تشرع في العمل. إن تحديد الصورة التي ترى فيها نفسك تحقق أهدافك من الكتابة بحيث ترى نفسك قد حصلت على هذه الأهداف، وتستمتع بثمارها هو جوهر المهارة الأولى. هل لاحظت أن العديد من الرياضيين الأولمبيين يغمضون أعينهم قبل أن يقوموا

بالأداء؟ تشير الأبحاث أن تجارب الخيال لها نفس التأثير الذي تحدثه التجارب الحقيقية، وهو سر يستخدمه العديد من المبدعين والرياضيين لمضاعفة أدائهم من خلال الخيال (المرجع السابق، صفحة 152)؛ حيث يقوم العديد من أبطال الألعاب الأولمبية بتخيل أنفسهم وهم يقومون بالتمارين والحركات الرياضية التي يريدون اتقانها، وتكون النتيجة أن أجسادهم تتعامل مع التمارين التي قاموا بتخيلها كأنها تمارين حقيقية بسبب استغراقهم في الخيال، مما يضاعف من أدائهم الرياضي؛ فحين يتخيل الرياضي أنه قد تمرن لمدة ثلاثين دقيقة ثم بعدها يقوم بأداء تمرين فعلي لمدة ساعة فإن الفائدة التي يحصل عليها تعادل الفائدة التي تنتج من ممارسة الرياضة لمدة ساعة ونصف كاملة.

وبالإضافة لذلك وبغض النظر عن نوع الهدف أو الأهداف التي تسعى إليها فان تحديد وتخيل نفسك بأنك تستمتع بثمار هذه الأهداف سيكون له أثر جوهري في استفادتك من هذا الكتاب لأنه سيعمل على التجهيز النفسي والعقلي الذي تحتاجه للكتابة، ولحفر المهارات الخمس بصورة عميقة في ذهنك لضمان اتقانها والاستفادة القصوى منها. فإذا كان الهدف هو كتابة مقالات قانونية تنشرها في مجلات دورية أو في الانترنت أو تقديم مذكرات قانونية تضمن لك الفوز أو تأليف كتاب تنقل فيه تجاربك وخبراتك أو غيرها من مجالات الإبداع، فان تخيل نفسك قد حصلت على هذه الأهداف وأنت تستمتع بها بصورة يومية سيمدك بالطاقة للاستمرار في التقدم وفي نفس الوقت يعمل على تحسين استيعابك للكتاب.

مفهوم العادات

في كتاب The Power of Habit, Why we do what we do and how to change يتحدث الكاتب شارلس دوهيق عن مفهوم العادات وكيف تشكل حياتنا (Duhigg، 2013، الصفحات 3-30). يشرح دوهيق أن العادات تتكون من ثلاث أجزاء هي:

المحفز ⇦ الروتين ⇦ الجائزة (المرجع السابق، صفحة 23).

ويضيف دوهيق أن المحفز هو الفعل الذي يجعلنا نقوم بفعل معين كلما حدث ذلك المحفز وقد يكون المحفز هو وقت أو حدث معين أو شخص فعلى سبيل المثال قد يكون المحفز هو وقت معين مثل وقت صلاة المغرب فعند سماع صوت الآذان

يكون المحفز قد حدث ويتبعه الفعل وهو أن يقوم الشخص بأداء الصلاة وتكون الجائزة هي الشعور برضاء الله بعد الانتهاء من الصلاة. ان تكوين العادات يفيدنا من حيث توفير الوقت فلا نضطر للتفكير في الأمور التي نفعلها بصورة متكررة فتحدث بصورة أوتوماتيكية. ولكن العادات قد تكون جيدة وقد تكون ضارة.

لتغيير العادات الضارة يقترح دوهيق أن نقوم باستبدال الحلقة الأضعف (وهي الروتين أو الفعل الضار) بفعل نافع، ولكن يجب أن يكون الفعل النافع البديل يعطينا نفس المنفعة التي كان يعطينا إياها الفعل الضار والا فلن ينجح الأمر (المرجع السابق، الصفحات 60-93). فعلى سبيل المثال فان مجرد التوقف عن عادة التدخين لن يفلح بسبب تمكن عادة التدخين من عقل ونفسية المدخن. ولذلك فعند حدوث المحفز الذي يدفع المدخن للتدخين (مثل الشعور بالقلق) فان الفعل البديل الذي يختاره يجب أن يعطي المدخن نفس الاشباع الذي كان يعطيه إياه التدخين، ولكن بدون الاثار الضارة للتدخين.

وتطبيقا لهذا المفهوم فقد قمت ببناء عادة الكتابة اليومية حيث كوّنت روتيناً يومياً هو أن أبدأ الكتابة بعد صلاة المغرب وخصصت مكانا معينا لممارستها هو طاولة مكتبي في المنزل. ولتفعيل هذه العادة فقد قمت بتعطيل كافة المشتتات في أثناء الكتابة بحيث أضع هاتفي في مكان خاص خارج المكتب وأحضر فنجان قهوتي وأحرص أن تكون جميع مراجعي في متناول يدي حتى لا أضطر لمغادرة المكان. ولكن لمن يستطيع التحكم في المشتتات الناتجة من الهاتف ويفضل أن يكون الهاتف في نفس الغرفة فيوجد العديد من التطبيقات التي يمكن تحميلها في الهاتف والتي تساعد على التركيز.

عليه نخلص الى أن العادات تشكل جزءاً مهماً من حياتنا اليوم ولذلك علينا العمل على بناء أكبر عدد ممكن من العادات الجيدة التي تنسجم مع أهدافنا وتقليل وتقليص العادات الضارة التي تبعدنا عن تلك الأهداف. وحيث أن تكوين وبناء عادة الكتابة يعد من العناصر الفعالة للنجاح فإنني أدعوك لإعطائها الأولوية التي تستحقها في حياتك اليومية، وقد جاء في المثل العربي " خير الأعمال ما كان ديمة".

مفهوم المعتقدات

من المهم إدراك مفهوم المعتقدات لأنها تتحكم في تصرفاتنا واختياراتنا. في كتاب Unlimited Power يشرح توني روبنس كيف تتشكل المعتقدات مستخدما أرجل الطاولة كمثال لشرح كيفية تشكل المعتقدات (Robbins، 1986).

حيث يقول روبنس ان المعتقدات تولد في مخيلتنا من خلال فكرة أو رأي ساقه شخص في محيطنا ثم تكررت حوادث وتجارب عززت هذا المعتقد لدينا بحيث تكون الفكرة الأولية مثل أحد أرجل الطاولة وكلما حدث موقف جديد يعزز هذه الفكرة تشكلت ساق جديدة للطاولة حتى تكتمل أرجلها الأربعة في شكل معتقد. وفي حياتنا نتبنى معتقدات مفيدة وأخرى ضارة مثلما نكون عادات ضارة وأخرى نافعة. فاذا كان لديك معتقد أنك كاتب ماهر ففي الغالب ستجتهد أكثر في تعلم الكتابة واجادتها حتى تنسجم فكرتك عن نفسك مع محصلة اعتقادك وبسببه. ينقل عن هنري فورد قولته الشهيرة: "إذا كنت تعتقد أن تستطيع أو أنك لا تستطيع فأنت محق".

يشرح آدم كوك كيفية هدم المعتقدات الضارة في كتابة "سيطر على عقلك صمم مصيرك" من خلال مفهوم "خلخلة أرجل الطاولة" التي تشكل المعتقدات والتشكيك في صحة الأساس الذي بني عليه هذا الاعتقاد (كوك وتان، 2015). وتطبيقا لهذا المبدأ فقد قمت بمراجعة العديد من المعتقدات التي كنت أحملها كنوع من المسلمات بدون تفكير فيها متأملاً ما إذا كانت هذه المعتقدات مفيدة أم لا. وقد كانت فترة حياتي في كندا فرصة عظيمة لمراجعة المعتقدات التي تشربت بها من خلال حياتي السابقة في السودان ضمن مجتمع عربي ومسلم بالمقارنة مع الحياة الجديدة في المجتمع الغربي في كندا. وكانت نتيجة ما توصلت اليه من خلال تجربتي أن هناك بعض المعتقدات كانت بحاجة للتغيير لأنها لا تتناسب مع متطلبات الحياة في المجتمع الكندي؛ وفي نفس الوقت فان هناك معتقدات تصاحب الحياة في المجتمع الكندي لا تناسب ظروف حياتي وثقافتي.

من المهم أن تقوم بمراجعة المعتقدات التي تحملها عن نفسك وقدراتك للتأكد أنها تخدم حياتك وأهدافك.

(ب) التخطيط للكتابة

هل يمكن أن تتخيل أن يقوم المقاول ببناء منزلك بدون أن تكون قد أطلعته على شكل البيت الذي ترغب في بنائه وبدون أن تزوده بخرط هندسية صممها مهندس معماري؟ إن الإجابة بلا شك هي النفي. إن الكتابة القانونية تشبه بناء المنزل، فقبل أن تشرع في الكتابة يجب عليك أن تحدد الهدف من المستند الذي ترغب في صياغته وتدرس الجهة التي سيقدم لها هذا المستند بنفس الطريقة التي يجب عليك تحديد الغرض من المنزل والساكنين المحتملين له. ثم عليك اعداد مخطط للمستند قبل الشروع في الكتابة مثل ما عليك الحصول على خريطة من مهندس معماري قبل الشروع في أعمال البناء.

ولكن في الواقع فإن معظمنا يشرع في الكتابة مباشرة متخطياً مرحلتي الاعداد والتخطيط وبذلك فلا عجب أن تكون النتيجة هي كتابة معقدة وركيكة ترهق الكاتب والقارئ معاً. في المهارة الأولى وهي عادة التخطيط سأقوم بشرح طرق عملية للتخطيط للكتابة القانونية التي تنوي القيام بها.

قامت البروفيسور بيتي سو فلورس[2] من جامعة تكساس الأمريكية بإعداد نظام في الكتابة مبني على تقمص الكاتب لأربعة شخصيات وفقا للمرحلة التي يكون فيها الكاتب في أثناء عملية الكتابة، والشخصيات هي: شخصية "المجنون، والمعماري، والنجار، والقاضي" بحيث يقوم الكاتب بتبني الشخصية التي تتناسب مع مرحلة الكتابة المعينة التي قسمتها لأربع مراحل. وقد تناول جارنر في كتابه Legal Writing in plain English: A text with exercises شرح هذه الشخصيات والدور الذي تلعبه في كل مرحلة من مراحل الكتابة (Garner، 2013).[3]

قد يقول البعض أن تبني الكاتب لشخصيات مختلفة (مثل شخصية المجنون في مرحلة الاعداد للكتابة وشخصية المعماري في مرحلة البحث والتحليل وشخصية

---

[2] Betty S. Flowers. *Madman, Architect, Carpenter, Judge: Roles and the Writing Process*. 44 Proceedings of the Conference of College Teachers of English 7-10 (1979) as cited in (Garner, 2013).

[3] To know more about these characters, see Garner, Bryan A. *Legal writing in plain English: A text with exercises*. The University of Chicago Press, 2013, pp 9-13.

النجار في مرحلة الصياغة وشخصية القاضي في مرحلة التدقيق) تناسب الكتابة باللغة الإنجليزية ولا تناسب اللغة العربية لأن اللغة العربية لها خصوصيتها وتفردها. ومن يتبنى هذا الرأي قد يضيف أيضا أن الكاتب العربي لن يستسيغ وصف "المجنون" حينما يتطلب منه أن يكون في مرحلة التخطيط في الكتابة لأنها عبارة تحوي معاني سلبية لا تناسب الأذن العربية المحافظة. ولكن قد يرد البعض على هذا الدفع بالقول بأن المقصود هنا هو المراحل الإبداعية المختلفة للكتابة وليس تفاصيلها العملية وعليه فان هذه المراحل لا تختلف باختلاف اللغات وانما يجمعها الفكر الإنساني الإبداعي. وفي تقديري أن كلا من الرأيين له وجاهته ومن الصعب الجزم بأيهما على صواب والآخر على خطأ.

يدعو (Rylance، 2012، صفحة 5) الى تخطيط المستند المراد صياغته عن طريق اعداد خطة مرنة قابلة للتعديل في أثناء الكتابة، وتعد طريقة الخرائط الذهنية (mind mapping) من الوسائل الفعالة في ترتيب الأفكار وتقسيم المستند رغم كون المجال الأصلي للخرائط الذهنية هو المجال الأكاديمي. ويقدم (Garner، 2013، صفحة 12) أسلوبا يشبه الخرائط الذهنية في طريقة عمل وتخطيط المستند، وقد قمت باستخدام هذا الأسلوب في معظم الكتابات التي أقوم بها خاصة إذا كانت المسائل متشابكة ومعقدة وأرغب في فهم العلاقات والتقاطعات بين المسائل المطروحة. مثلا في أثناء كتابة هذا الكتاب قمت بعمل مخطط للأبواب والفصول في شكل عناوين فرعية للكتاب. وبالطبع في أثناء عملية التأليف والكتابة قمت بتعديلات كثيرة ومتعددة بحسب التقدم في الكتابة حيث إن عملية الكتابة نفسها ساعدتني في توضيح الأفكار التي أود عرضها في الكتاب.

نخلص الى ان التخطيط الجيد للمستند لا يساعد فقط على اكمال عملية الكتابة بصورة أسرع وانما يساعد أيضاً على اخراج منتج رفيع المستوى من حيث العمق والشمولية والوضوح. والعكس صحيح فان سوء التخطيط أو عدم القيام بالتخطيط يؤدي الى اخراج منتج ركيك في صياغته وقد يغفل الكاتب عن مسائل جوهرية بسبب عدم وضوح المسألة أو عدم المامه بالتقاطعات أو الاستثناءات التي تحيط بالمسألة التي يتعرض لها.

بالنسبة للكاتب (Clark، 2006، صفحة 119) فان وضع خطة للكتابة مسألة جوهرية ويطرح تنفيذها عن طريق عمل نقاط رئيسة ونقاط فرعية ("outlines").

سنتناول تصميم الخارطة النهائية للمستند بتفصيل أكثر عند الحديث عن المهارة الثانية وهي مهارة البحث والتحليل وذلك بعد القيام بأعمال البحث القانوني وتشريح المستند مثلما يفعل الطبيب حينما يقوم بتشخيص المريض بغرض الوصول للعلة ثم وصف الدواء.

شخصية المخرج السينمائي

هذه الشخصية لم ترد في نظام البروفيسور بيتي سو فلورس[4] وانما ابتدعتها لكي تقوم بمهمة إخراج المستند المطلوب في مرحلة الإخراج، فقد أوضحت تجاربي الخاصة أن هذه المسألة لا تحظى بالاهتمام الذي تستحقه في ممارسات القانونيين أو كتاباتهم. فبعد أن تقوم بتدقيق المستند عليك تقمص شخصية المخرج السينمائي لكي تخرج المستند للعالم في صورة تتناسب مع الغرض الذي أعد من أجله المستند مستخدماً المهارات التي يستخدمها مخرجو السينما في إخراج الأفلام.

في المرحلة الأخيرة من المهارات الخمس تقوم بأعمال التعلم المستمر. إن الحياة في مجملها والكتابة على وجه التخصيص هي عبارة عن رحلة لا تنتهي من التعلم والتطور المستمرين. وتزداد أهمية التعلم والتطور في القرن الحادي والعشرين الذي نعيش فيه والذي يتسم بالتغير السريع بصورة غير مسبوقة في تاريخ البشرية. إن التغيير الهائل في المعرفة وأساليبها يجعل مسألة التعلم المستمر مسألة حتمية ومصيرية وليست خياراً يمكن تجاهله حيث إن من لا يتجدد يتبدد.

ان التعلم المستمر هو ضرورة من ضروريات المهن القانونية بمختلف تفرعاتها واتجاهاتها ولن يمكنك الاستمرار في مهنة القانون إذا توقفت عن التعلم لأن البيئة القانونية لن تتوقف عن التبدل والتطور، بل إن التغيير والتبدل يعبران عن الحقيقة الأكثر رسوخاً في عالم القانون.

ونخلص الى ان تقمص الذهنية التي تتناسب مع المرحلة التي تمر بها في عملية الكتابة حري بها أن تضعك في موضع الاتقان والإجادة لأنها ستجعلك في الوضع الذهني والنفسي الذي يجذب اليك أفكار الإبداع، كما تنجذب الفراشات الى أضواء المصابيح، حيث إن الكتابة هي عمل ذهني في المقام الأول ومع ذلك فإنني لا أقول

---

[4] Betty S. Flowers. *المرجع السابق*

بوجوب تقمص الشخصيات الخمس في جميع الأحوال والأوقات حيث إن ذلك قد لا يكون عملياً في بعض الحالات وبعض الملفات بسبب طبيعتها وظروفها المحيطة مثل درجة تعقيد المسألة والزمن المطلوب لإنجازها. لذلك فلا بأس من اختصار المراحل في حالة المسائل البسيطة غير المعقدة أو التي تحمل أهمية أقل من غيرها.

الهدف من الكتابة القانونية

تهدف الكتابة القانونية الى حل مشكلة قانونية يواجهها الموكل وتعتمد على الإقناع بصورة أساسية.، وذلك بحمل شخص آخر يملك السلطة في إصدار قرار معين لأن يتبنى موقف الكاتب أو الموكل، سواء أكان ذلك الشخص هو القاضي أو المحكم أو الطرف الثاني في العقد أو محامي الطرف الآخر. وللقيام بعملية الإقناع فإن المحامي يستخدم قلمه كأداة لتحقيق أهدافه وأهداف موكله. وحيث إن الإقناع عملية ذهنية معقدة فإن الكتابة القانونية تهدف أيضاً إلى تسهيل عملية اتخاذ القرار بحيث يكون على الكاتب القانوني أن يدعم موقفه بقواعد المنطق السليم أو العدالة أو حتى استمالة مشاعر الطرف المستهدف من الكتابة بغرض حثه على تبني وجهة نظر الكاتب. وقد يرى البعض أن عمل الكاتب القانوني يشبه عمل السياسي الذي يستميل الناخبين للتصويت لصالحه وهذا القول فيه نظر لأن الكاتب القانوني تحكمه قواعد أكثر صرامة تؤثر على اختياره لمفردات اللغة وتركيباتها والأساليب التي يتبناها.

ومن التحديات التي تواجه المحامي أن الكتابة القانونية كتابة تنافسية، لأن صاحب القرار أمامه الفرصة للاطلاع على كتابة قانونية مماثلة من خصم المحامي تعمل على تفنيد ومناهضة حجج المحامي، أي إن المحامي يواجه خصماً يحاول إبطال عملية الإقناع التي يقوم بها، وهدم الحجج التي يقدمها بغرض إقناع صاحب القرار بعكس ما يسعى اليه المحامي: صاحب القرار سيختار فائزاً واحدا للحكم لصالحه.

أما في حالة المسائل القانونية التي لا تتضمن خصومة بالمعنى الاصطلاحي للكلمة (مثل الاستشارات القانونية وصياغة العقود)، فإن الحاجة للإقناع تظل حاضرة أيضاً، حيث لا يزال المحامي مطالباً بإقناع موكله بوجاهة الاستشارة القانونية. وفي حالة العمل في صياغة وإبرام العقود فإن المحامي بحاجة لإقناع الطرف الثاني بقبول الشروط التي يضعها المحامي. لذلك فإن عنصر الاقناع هو عنصر جوهري، وأحد ركائز الكتابة القانونية. ويرتكز الاقناع القانوني على بيان أن

موقف المحامي يسنده القانون ويتفق معه، أو أن موقف الخصم يتعارض مع القانون، حيث إن صاحب القرار يتوقع منه أن يصدر قراره وفقاً للقانون.

التخطيط بعين القارئ

إن مرحلة التخطيط تقتضي أن تكون شخصية القارئ للمستند هي المحور الذي يدور حوله المستند. وعليه فإن معرفة القارئ بطبيعة وموضوع المستند سيحدد المحتوى والشكل الذي سيكون عليه المستند، بحيث يتوافق المستند مع توقعات القارئ (Canavor, 2017, p. 25). يدعو (Rylance، 2012، الصفحات 4-6) الكاتب للقيام بجهد لفهم المتلقي للمستند وفهم توقعاته فلوكان القارئ هو القاضي فإن شكل المستند ودرجة الرسمية المطلوبة فيه تقتضي أن يتوافق المستند مع توقعات القاضي وطريقة مخاطبة المحكمة. ومن المفضل أن تذهب لمرحلة متقدمة بحيث تتعرف على أسلوب هذا القاضي تحديداً في الكتابة من خلال الاطلاع على أحكام سابقة أصدرها أو أي كتابات قام بها بغرض التعرف على أسلوبه. ولكن في العديد من الحالات قد لا يكون ذلك متاحاً، وفي هذه الحالة يمكن الاستعانة بالنظر إلى كتابات قضاة آخرين في نفس الدرجة أو التخصص.

في حالة كتابة الاستشارات القانونية لمدير في شركة فإن من المفيد التعرف على توقعات هذا المدير ودرجة معرفته بالموضوع الذي تكتب حوله، لكي تحدد مستوى التفصيل الذي تحتاج إليه، حيث إن معرفة هذا المدير بخلفيات الموضوع الذي تكتب عنه يغنيك عن شرح الأبجديات والتعريف بالأمور الأولية، ويمكنك التوجه الى صلب الموضوع مباشرة. أما إن كان المدير لا يملك أي معرفة سابقة عن الموضوع فمن الحكمة أن تشرح الأمور الأولية قبل مناقشة موضوع المستند في شكل مقدمة موجزة.

التقسيم والتبويب

مثلما يقوم المهندس المعماري بتقسيم المنزل إلى غرف وأجنحة، عليك بتقسيم المستند الى أجزاء لكي تسهل عملية القراءة والاستيعاب (Garner, 2013, p. 20). مثلما تحتوي الغرف على نوافذ وأبواب فان أجزاء المستند يجب أن تقسم

الى أجزاء فرعية. ان تقسيم المستند الى أجزاء يجب أن يكون وفقا للمنطق بحيث تجمع العناصر المتشابهة في مكان واحد.

حينما تشرع في الكتابة فإنك تأخذ القارئ في رحلة ويجب أن يكون للرحلة تسلسل منطقي من مكان الانطلاق مرورا بالمحطات الداخلية حتى تصل بالقارئ الى نقطة الوصول. من عيوب التخطيط أن ينتقل الكاتب من نقطة الى أخرى بدون أن يكون هناك رابط منطقي بينهما، حيث يصاب القارئ "بالتوهان" مثلما يضيع السائح في شوارع مدينة غريبة فلا يعرف كيف وصل لهذا المكان. وحينما يصاب القارئ بالتوهان فانه سيترك متابعة الرحلة وقد يتوقف من القراءة. وإذا كان هذا القاري هو القاضي فان المخاطر تكون جسيمة إذا توقف عن قراءة مذكرتك.

الخلاصة

وفي ختام هذا الشق من الكتاب نخلص الى أن من المهم أن تتقمص شخصيات مختلفة تتناسب مع المراحل المختلفة التي تمر بها عملية الصياغة القانونية. إن عدم الوعي بأهمية التخطيط لهذه المراحل سيؤدي في الغالب لصياغة ركيكة ومشوشة تصيب القارئ بالملل أو الاستياء.

ان التخطيط يبدأ بالإعداد النفسي والذهني للكاتب من خلال تبني استراتيجيات تؤدي لتحقيق أفضل النتائج في أثناء مراحل الكتابة المختلفة. ان التخطيط للكتابة يشمل أيضا معرفة توقعات القارئ وتصميم الكتابة بحيث تلبي تلك التوقعات وتنسجم معها.

لقد أكملت الآن وضع خارطة أولية المستند الذي تنوي صياغته وأصبح لديك مخططاً يحوي المواضيع الرئيسة والفرعية وهي مرتبة بشكل منطقي تجعلك ترى العلاقة بين المواضيع في شكل علاقات متشعبة ومترابطة. إن المخطط الذي بين يديك هو في شكل خارطة طريق من نقطة البداية ويمر بمحطات في أثناء الرحلة وحتى محطة الوصول. أنت الآن جاهز لمتابعة الرحلة من خلال المهارة التالية وهي مهارة البحث والتحليل وهو ما سنتناوله معا في الباب المقبل.

تمرين المهارة الأولى

مقدمة

في نهاية كل مهارة من المهارات الخمس ستجد تمرينا سيساعدك على اتقان هذه المهارة بغرض ترسيخ ما تعلمته وبغرض تطبيقها على حياتك العملية. وقد دلت الدراسات أن القيام بالتمارين يساعد على زيادة الاستيعاب وتذكرة المادة التعليمية بحص تحصل على أقصى فائدة. لذلك ننصحك بممارسة هذه التمارين في أثناء قرائك للكتاب أو الرجوع اليها بعد الانتهاء من قراءة الكتاب بالكامل.

تمرين الأهداف

في هذا الباب تعلمت أهمية تحديد الأهداف وتعلمت أن البداية هي أن تعرف أين تقف الآن. في المساحة الموضحة أدناه أكتب ما تعتقد أنه وضعك الحالي في النواحي التالية من خلال تقييم وضعك من 1 الى 5 (1 بمعنى ضعيف جدا و5 ممتاز جدا):

م	النواحي المهنية / الشخصية	موقفك أو وضعك الحالي	الوضع الذي ترغب في الوصول اليه
1	موقفك من النواحي المالية		
2	وضعك الصحي من حيث ممارسة الرياضة، الطعام الصحي وصحتك بشكل عام		

3	وضعك المهني والوظيفي حاليا		
4	المهارات المهنية التي تتقنها أو تتمنى اتقانها		
5	النواحي التي يمكن أن تستخدم فيها مهاراتك في الكتابة		

تمرين المعتقدات

في هذا الدرس تعلمت مفهوم المعتقدات وكيف تشكل المعتقدات حياتنا عن طريق تشكيل تصرفاتنا. مستخدما ما تعلمته في هذا الباب، قم بملء الفراغات الموضحة أدناه بما يناسبها.

م	النواحي المهنية / الشخصية	المعتقدات النافعة التي ترغب في تقويتها	المعتقدات الضارة/المقيدة التي ترغب في استبدالها
1	معتقدات تتعلق بالنواحي المالية		
2	معتقدات تتعلق بالصحة/ التغذية/ الوزن		
3	معتقدات تتعلق بوضعك المهني		

4	معتقدات تتعلق بالمهارات التي تتقنها أو تتمنى اتقانها (ويشمل ذلك مهارات الكتابة)		
5	أي مسألة أخرى تمثل أهمية بالنسبة لك		

كيف يمكنك استخدام ما تعلمته من هذا لباب لاستبدال المعتقدات المقيدة/الضارة بمعتقدات أخرى تدفعك للنجاح ولتحقيق ما تريد؟

قم بطباعة هذه الورقة وضعها في مكان بحيث تراها باستمرار لكي تحفزك على العمل على التحسن.

تمرين العادات

في هذا الباب تعلمت طريقة عمل العادات والدور الذي تلعبه في تشكيل قراراتنا وتصرفاتنا. في المساحة الموضحة أدناه أكتب 3 عادات مفيدة ترغب في تنميها و3 عادات ترغب في التخلص منها:

م	مجال العادة	العادة التي ترغب في تنميتها	العادة التي ترغب في التخلص
1	عادة تتعلق بالنواحي المالية		
2	عادة تتعلق بالصحة أو الطعام أو النوم		
3	عادة تتعلق بالمهنة أو الوظيفة		
4	عادة تتعلق بطريقة ممارستك لعملك		
5	أي عادة أخرى تمثل أهمية بالنسبة لك		

مستخدما ما تعلمته في هذا الباب فيما يتعلق بتشكل العادة (محفز – روتين/عمل – مكافأة)، قم بتحليل العادات الضارة التي ترغب في التخلص ومنها وحدد الروتين/ العمل البديل الذي يمكن أن تقوم به في كل عادة بحيث يعطيك نفس درجة الاشباع الذي تحصل عليه من الروتين/ العمل المتعلق بالعادة الضارة.

ما هو الضرر الذي تسببه لك هذه العادات الضارة؟ ما هو الثمن الذي تدفعه بسبب هذه العادات؟

ما هو الشعور الذي ستحصل عليه عندما تتخلص من هذه العادات الضارة؟ كيف ستكون حياتك لو اختفت هذه العادات؟

كيف يمكنك تقوية الروتين/العمل الجديد؟

المهارة الثانية: البحث والتحليل

"القراءة بلا تفكر كالأكل بلا هضم."

ادموند بيرك

مقدمة

في المهارة السابقة تناولنا مرحلة الاعداد للكاتب وللمستند. لقد أصبح لديك خارطة طريق توضح الهيكل الذي سيتشكل منه المستند القانوني الذي تعمل على صياغته. نحن الآن في مرحلة البحث والتحليل وفي هذا الباب سنتناول معاً أفضل السبل للقيام بذلك ابتداء من بحث وتحليل القانون الذي يحكم المستند الذي تعمل على كتابته الى تحليل الوقائع والأدلة المتعلقة بالموضوع.

في هذا الباب ستقوم بأعمال تحليل الوقائع وتشريحها مثلما يفعل الطبيب عندما يقوم بتشخيص المريض بغرض معرفة العلة (أو العلل) التي يشكو منها ومن ثم يصف له العلاج المناسب. ان عملك في هذه المرحلة يشبه عمل الطبيب حيث تقوم بتشخيص الوقائع التي يعرضها عليك الموكل. ولكن بدلا من القيام بعمليات فحص الدم وقياس درجة حرارة المريض فستقوم بعمليات دراسة الوقائع بغرض معرفة وتحديد القانون الذي يحكمها وبعد ذلك ستصف العلاج لموكلك من خلال "وصفة" قانونية قد تكون في شكل مذكرة تقدمها للمحكمة أو استشارة قانونية تشرح لموكلك الخيارات القانونية المتاحة أمامه.

وعليه فإنك ستقوم في هذا الباب بعمليات البحث القانوني الذي سينتهي بوضع الخطة لصناعة المستند الذي تنوي صياغته ولكن قبل أن نبدأ نحتاج للقيام ببعض التعريفات التي تمهد الأرضية للعمل.

ما هو القانون الذي يحكم المسألة موضوع المستند؟

قبل أن ندلف للقانون الذي يحكم المسألة موضوع البحث لا بد من التطرق الى المسائل العامة التي لا مناص من معرفتها قبل التحدث عن تفاصيل البحث القانوني. تنقسم دول العالم من ناحية الأنظمة القانونية الى مجموعتين رئيسيتين هما:

(أ) **دول منظومة القانون العام:** (وعلى رأسها بريطانيا والولايات المتحدة وكندا وأستراليا ونيوزيلاندا والهند وكينيا وغيرها).

(ب) **دول منظومة القانون المدني**: وتشمل معظم دول العالم الأخرى. قد يرى البعض بأن هناك مجموعة ثالثة هي خليط من المنظومتين السابقتين. وقد يقول البعض بأن نظام الشريعة الإسلامية هو نظام قانوني قائم بذاته، ولكن لا يتسع المجال هنا للخوض في تفاصيل هذا الموضوع لبعده عن موضوع الكتاب لذلك سنترك مناقشة هذه الجدلية ليوم آخر.

أولا: القانون في دول القانون العام

وفقا للكاتب (Trachtman، 2013، صفحة 100) فان عبارة القانون العام (common law) تعني

" a legal system that supplements legislative law with judge-made law "

وعليه فان المصطلح يقصد به التشريع الذي تصدره السلطة التشريعية في الدولة (مثل مجلس الشعب أو مجلس النواب أو ما في حكمهما) بالإضافة الى السوابق القضائية التي ترسيها المحاكم المختصة الأعلى درجة مثل المحكمة العليا ومحكمة الاستئناف والتي تصبح قانوناً ملزماً للمحاكم الأدنى درجة بصورة آلية دون الحاجة لأن تمر المبادئ القانونية التي تضمنتها هذه السوابق القضائية عبر بوابة السلطة

التشريعية.[5] وعليه فان القانون في دول القانون العام يشمل التشريع + القانون العام (أي القانون الذي تصنعه المحاكم من خلال السوابق القضائية). ولذلك فان مهارات البحث القانوني تشمل البحث في التشريعات وتشمل استنباط القانون العام من السوابق القضائية التي تصدرها المحاكم التي تملك السلطة القانونية اللازمة.

ولكي تصبح المبادئ[6] التي أرستها المحكمة في حكم القانون يجب توافر عدة شروط منها:

(أ) أن تتشابه الوقائع التي صدرت بموجبها السابقة القضائية مع وقائع المسألة التي تقوم ببحثها، وإلا أصبحت هذه السابقة عرضة للاستبعاد (distinguishable). ويعني ذلك أنها لا تنطبق على المسألة موضوع البحث بسبب الاختلاف الجوهري في الوقائع.

(ب) أن تكون السابقة القضائية قد صدرت من محكمة مختصة، فمثلا السابقة التي ترسيها محكمة الاستئناف ليست ملزمة للمحكمة العليا لأن المحكمة العليا أعلى درجة في الهرم القضائي من محكمة الاستئناف. ولكن السابقة التي ترسيها المحكمة العليا تلزم جميع المحاكم الأدنى بما في ذلك محكمة الاستئناف والمحكمة الابتدائية.

---

[5] See the definition of "common law" in "Common-Law Definition & Meaning." *Merriam-Webster*, Merriam-Webster, https://www.merriam-webster.com/dictionary/common-law.

Definition of *common law* (Entry 2 of 2)
"the body of law developed in England primarily from judicial decisions based on custom and precedent, unwritten in statute or code, and constituting the basis of the English legal system and of the system in all of the U.S. except Louisiana."

[6] To know more about the concept of precedents, see Team, by Content. "Precedent - Definition, Examples, Cases, Processes." *Legal Dictionary*, 15 Feb. 2019, https://legaldictionary.net/precedent/. See the definition of "Binding precedent. In common law system systems, the judge-made rule of law driven from earlier judicial decisions, which is binding in future disputes." (Trachtman, 2013, p. 99)

(ت) أن يكون المبدأ الذي أرسته المحكمة يتعلق بمسألة نظرتها المحكمة في أثناء فصلها في الدعوى بحيث يكون نظر المحكمة لتلك المسألة ضروريا للفصل في الدعوى (ratio decidendi[7]). فاذا كان المبدأ لا يتعلق بمسألة جوهرية فان ذلك لا يدخل ضمن المبدأ القانوني وانما يعتبر بمثابة " تعليق عرضي" (obiter dictum) من المحكمة لأنه يتعلق بمسألة لم تنظرها المحكمة بغرض الوصول لحكمها (Trachtman، 2013، صفحة 102).

(ث) ان المبادئ القانونية التي تصدرها المحاكم المختصة في دول أخرى ليست ملزمة للمحكمة الوطنية، ولكن لها قيمة أدبية من حيث اقناع المحكمة الوطنية بتبنيها دون أن تكون ملزمة قانونا بذلك وانما على سبيل الاستئناس. لكن على الرغم ذلك فان المبادئ التي تصدرها المحاكم العليا في دول الكومنولث البريطاني عادة تلقى احتراما من دول الكومنولث الأخرى باعتبارها صادرة من محاكم لها سلطات أعلى.

ان نظام القانون العام غير منتشر في الدول العربية حيث يغلب عليها نظام القانون المدني اللاتيني مصحوبا بقواعد الشريعة الإسلامية. ولكن على الرغم من تأثير قوانين الشريعة ومبادئ القانون المدني من خلال قانون المعاملات المدنية فان السودان يعتبر من أقرب الدول العربية لنظام القانون العام الذي ورثه السودان من حقبة الاستعمار البريطاني، شأنه في ذلك شأن جميع دول القانون العام مثل كندا والولايات المتحدة والهند ونيجريا وغيرها من دول القانون العام (للمزيد حول هذا الموضوع يمكنك الاطلاع على مقالتي بعنوان:

Insight in the Legal System of Sudan, Dusting off the Arab World's Only Common Law Jurisdiction (Khair، 2018، الصفحات 42-45).

---

[7] See (Trachtman, 2013, p. 103) the definition of "Ratio decidendi. Latin for the `the rule of decision`. The goal of common law analysis is to determine the ratio decidendi on which prior decisions are based."

ولكن في الآونة الأخيرة زاد تأثير القانون العام في بعض الدول العربية تقوده مكاتب المحاماة الأجنبية في دول الخليج العربي وهي في مجملها مكاتب محاماة من دول القانون العام مثل بريطانيا والولايات المتحدة وأستراليا. كما أن بيئة قانون الأعمال في منطقة الخليج العربي تغلب عليها العقود والمعاملات التجارية المستمدة من القانون العام بالإضافة لانتشار مراكز التحكيم الأجنبي. وفي الامارات العربية المتحدة فان نظام محاكم المركز المالي في دبي يطبق نظام القانون العام بصورة غير مسبوقة في المنطقة.[8]

ثانيا: القانون في دول القانون المدني

كما ذكرت فان الدول العربية في مجملها تتبع نظام القانون المدني (مع تأثير واضح لقوانين الشريعة الإسلامية). وفي منظومة القانون المدني فان القانون له مصدر واحد وهو التشريع حيث لا تعتبر المبادئ التي ترسيها المحاكم ملزمة قانونا وان كان لها وزن من حيث قوة الاقناع. ولكن مع ذلك فقد درجت المحاكم على إيلاء قوة أكبر للمبادئ القانونية التي ترسيها المحاكم العليا وتقوم الدوائر والمكاتب المختصة بهذه المحاكم بعمليات تبويبها وتصنيفها ونشرها.

وعموما يرى العديد من الفقهاء أن الشقة بين دول نظام القانون العام والقانون المدني تتجه نحو التقلص بسبب اتجاه دول نظام القانون العام الى تضمين المبادئ القانونية التي استحدثتها المحاكم في تشريعاتها؛ وفي المقابل فان محاكم دول القانون المدني عمدت الى احترام المبادئ التي ترسيها محاكمها العليا وبالتالي فان كل نظام قانوني يتجه نحو الآخر.

الهرمية بين القوانين

لا يكفي أن تلم بالفروقات بين نظام القانون العام وبين نظام القانون المدني، بل لا بد أن تحدد القانون الذي يحكم المستند الذي تعمل على صياغته. فبعد أن تحدد القانون يجب أن تحدد درجة ذلك القانون لأن القوانين ليست متساوية من حيث

[8] To know more, please see Dubai International Financial Center https://www.difc.ae/business/laws-regulations/

الهرمية. على قمة الهرم القانوني يتربع الدستور[9] أو النظام الأساسي للدولة بحيث تسود أحكامه على ما دونه من التشريعات في حالة التعارض. فمثلا إذا كانت المادة أو المواد التي تحكم المستند الذي تعمل على صياغته هي جزء من تشريع فمن المفيد أن تتأكد أنها لا تتعارض مع قاعدة دستورية لأن مثل هذا التعارض يجعل المادة التي تتعارض مع المبدأ دستوري عرضة للبطلان لعدم دستوريتها؛ وفي المقابل فاذا كانت المادة أو النص القانوني الذي يحكم المسألة يضر بمصلحة موكلك فعليك النظر في الطعن في هذا النص بعدم دستوريته بغرض الغاء تأثيره الضار على موكلك. وعموما فان الهرمية بين القوانين تكون كالتالي:

أ- **الدستور أو النظام الأساسي**: يأتي في قمة الهرم القانوني ويسميه بوتمان و ألبرايت بأنه

"governing documents adopted by the people"

(Albright, Legal research, analysis, and writing, 2014, p. 55). ويتميز القانون الدستوري بسموه على غيره من قوانين وفق ما ذكرنا.

ب- **التشريع القانوني**: يجب أن يتسق ويتوافق التشريع مع الدستور والا أصبح عرضة للطعن عليه بأنه غير دستوري.

ت- **اللوائح**: اللوائح هي قوانين تصدرها سلطة تنفيذية مختصة بتنفيذ التشريع وتستمد شرعيتها من التشريع. ولذلك فيجب أن تتفق اللائحة مع التشريع الذي صدرت تحته وفي حالة التعارض تسود أحكام التشريع على اللائحة.

---

[9] To know more please see, Admin. "Understanding Precedent - Laws.com." *Common*, 22 Dec. 2019, https://common.laws.com/precedent#:~:text=When%20a%20judge%20offers%20a%20decision%20on%20a,two%20cases%20share%20legal%20similarities%20or%20underlying%20characteristics.

وسائل البحث القانوني

غالبا ما تقوم وزارات العدل (أو ما في حكمها) بنشر القوانين وتعديلاتها على الموقع الالكتروني للوزارة. كما قد تقوم الوزارة المناط بها تنفيذ قانون معين بنشر القانون ولائحته التنفيذية على موقعها. وقد جعل الانترنت عملية البحث أكثر سهولة بسبب الإمكانات غير المسبوقة التي تتيحها محركات البحث مثل جوجل وياهو وغيرها.

مثلا في سلطنة عمان يمكنك الوصول للتشريعات التي تحوي القوانين والمراسيم السلطانية من خلال موقع وزارة العدل والشؤون القانونية (وزارة العدل و الشؤون القانونية ، 2022): https://mjla.gov.om/legislation/laws#/. كما يحوي الموقع إصدارات الجريدة الرسمية والاتفاقات الدولية. وعلى الرغم من أن طبيعة المواقع الالكترونية تتسم بالديناميكية والتغير فان هذا الموقع لا غنى عنه في البحث القانوني المتعلق بقوانين سلطنة عمان.

وكمثال على البحث في اللوائح المتعلقة بشركات المساهمة العامة وقوانين رأس المال يمكن الذهاب الى موقع الهيئة العامة لسوق المال في السلطنة عبر موقعها الالكتروني: https://www.cma.gov.om/Home/DecisionsCirculars

ولكن لا زالت النسخ الورقية للقوانين مثل المجلدات القانونية مصدرا مهما للبحث القانوني. وتتوافر حاليا أنظمة الكترونية متخصصة تقدمها شركات البحث القانوني. ومن الملاحظ أن دول القانون العام المتقدمة مثل الولايات المتحدة وبريطانيا وكندا واستراليا تتوافر فيها مؤسسات بحث قانوني عملاقة مثل ليكزس نيكزس (LexisNexis) وويست لو (Westlaw)[10] بسبب أن البحث في السوابق القضائية التي ترسيها المحاكم هو مسألة جوهرية في هذه الدول بسبب طبيعة نظامها القانوني المبنى على السوابق القضائية التي ترسيها المحاكم. ومن ثم تتيح مؤسسات البحث العلمي القانوني هذه إمكانات هائلة أمام الباحثين.

[10] For example, to know more about how to conduct legal research using Westlaw, please see (Albright, Legal research, analysis, and writing, 2014, p. 226).

وفي حالة استخدامك لنظام الكتروني للبحث يستخدم لغة أجنبية مثل الإنجليزية فيجب مراعاة النص العربي الأصلي والانتباه لجودة الترجمة، حيث تنص معظم القوانين على أن اللغة العربية هي التي تسود في حالة الاختلاف بين النصين.[11]

ونسبة للتقدم التكنولوجي ودخول الذكاء الصناعي في جميع المجالات فإنني أتوقع تقدما مضطردا في أنظمة البحث الالكتروني في العالم العربي حتى تلحق الدول العربية بركب العلم والتطور حيث لا زلنا متأخرين عن باقي العالم في مجال استخدام التقنيات الحديثة في المجال القانوني بصفة عامة ومجال البحث القانوني بصفة خاصة.

المصادر الأولية والفرعية للقانون

يصنف الفقهاء التشريعات والقوانين واللوائح الصادرة من الجهات المختصة (مثل السلطة التشريعية أو الوزارة المعنية بتطبيق اللائحة) على أنها مصادر أولية للقانون، وهي تمثل الركيزة الأساسية للبحث القانوني. بينما تصنف مؤلفات فقهاء القانون التي تصدر في شكل كتب أو دوريات أو مقالات قانونية بأنها مصادر ثانوية من ناحية البحث القانوني بسبب أنها تحوي تعليقاً أو شرحاً للمصادر الأولية للقانون.

وفي الغالب فان المصادر الثانوية تقدم شرحا مستفيضا (أو مختصرا) للقانون وفقا للزاوية التي يتناولها المؤلف بحيث تحمل قوة اقناع للمحاكم، خاصة إذا كانت صادرة من فقهاء لهم مكانتهم في مجال تخصصهم القانوني. وبالنسبة لفقهاء الشريعة الإسلامية فان مؤلفات فقهاء المسلمين لها مكانة عظيمة في الأهمية ومثال ذلك أقوال وآراء الأئمة الأربعة (وهم الامام مالك والشافعي وابن حنبل وأبي حنيفة) وغيرهم من أئمة المذاهب الإسلامية وفقهاء الشريعة الإسلامية.

تشير التجارب العملية الى أن بداية أعمال البحث من المصادر الثانوية هو الخيار الأفضل. وحيث أن كتب القانون غالبا تحوي جدول المحتويات، فان الخطوة الأولى

[11] على سبيل المثال تنص المادة (27) من قانون الإجراءات المدنية والتجارية العماني الصادر بالمرسوم السلطاني رقم 2002/29 على أن "اللغة العربية هي لغة التقاضي ولا تقبل أية أوراق أو مستندات الا إذا كانت محررة باللغة العربية أو مرفقا بها ترجمتها العربية، وفي جميع الأحوال تكون الحجة للمحررات العربية...الخ." المرجع السابق (وزارة العدل و الشؤون القانونية ، 2022).

في البحث تتمثل في الاطلاع على جدول المحتويات بصورة سريعة بغرض تحديد الجزء الذي يتناول موضوع المستند وعمل ملخص مختصر لما تجده من رأي أو تفسير للمسألة لكي تستخدمه في الصياغة وفي تدعيم محتوى المستند القانوني. وعليك بتسجيل رقم الصفحة واسم المؤلف والكتاب بعناية لكي ترجع إليهم لاحقا ولكي تلتزم بقواعد الاقتباس وحقوق الملكية الفكرية وهو ما يقودنا للحديث عن توثيق المراجع والمصادر.

توثيق المراجع والمصادر

هناك عدة أساليب لتوثيق المراجع أشهرها أسلوب جمعية علماء النفس الأمريكية (APA) وأسلوب جامعة شيكاغو وأسلوب جمعية اللغات الحديثة MLA. وحيث أن القانون من العلوم الاجتماعية فقد اخترت لهذا الكتاب التوثيق بأسلوب جمعية علماء النفس الأمريكية.[12] ولكن من المهم بمكان الالتزام بنفس الأسلوب في جميع أجزاء المستند الواحد.

ويمكنك الاستعانة ببرنامج مايكروسوفت وورد في قائمة المراجع (References) في أعلى قائمة العرض وبالضغط عليها تجد خيار الأسلوب لتختار منه الأسلوب المناسب و يمكنك تعديل الأسلوب بصورة أوتوماتيكية من نفس النافذة وهي طريقة فعالة ومفيدة في أثناء عمليات البحث القانوني لأنها توفر الوقت و الجهد. (انظر الى المثال التالي).

---

12 لمعرفة المزيد عن أسلوب جمعية علماء النفس الأمريكية يمكن الرجوع للموقع بعنوان فرصة https://www.for9a.com/learn/%D8%A7%D9%84%D8%AF%D9%84%D9%8A%D9%84-%D8%A7%D9%84%D8%B4%D8%A7%D9%85%D9%84-%D9%84%D8%AA%D9%88%D8%AB%D9%8A%D9%82-%D8%A7%D9%84%D9%85%D8%B1%D8%A7%D8%AC%D8%B9-%D8%A8%D9%86%D8%B8%D8%A7%D9%85-APA

تحليل الوقائع

لكي تحدد القانون الذي يحكم المسألة فان من المهم معرفة الوقائع والأحداث المتعلقة بالمسالة لأنها تحدد ماهية القانون الواجب التطبيق. إن تحديد الوقائع يحدث في الغالب في المقابلة الأولوية مع العميل ومن المهم أن تشجع العميل أن يحكي قصته بدون مقاطعة لكي تفهم الوقائع بدقة ومن المهم توجيه الأسئلة التي تقود الى معرفة الخلفيات والتفاصيل. وعليك أن تستمع لما يقوله العميل (ومالا يقوله أيضا) بحيث لا تأخذ جميع المعلومات التي يدلي بها العميل كأنها أمور مسلم بها بدون أن تقوم بتمحيصها. وهذا لا يعني عدم الثقة في أقوال العميل فقد يكون العميل قد قدم وقائع خاطئة بدون أن يدري أو قد يقدم معلومات ناقصة، وهنا يأتي دور المحامي في التمحيص للوصول لأدق صورة ممكنة للوقائع. وأيضا يكون لمهارات المحامي في الانصات دور جوهري في هذا الشأن.

إذا كانت الوقائع منشورة في مكان آخر مثل الصحف أو الانترنت فعليك مقارنتها بما يصل اليك من العميل أو من أي مصدر آخر للتعرف على أية نواقص في الموضوع. إذا كان الموضوع يتناول مسائل فنية فعليك بالتحدث الى ذوي

الاختصاص لكي تحصل على فهم أولي للمسائل الفنية. فمثلا لو كانت المسألة القانونية تتعلق بخطأ طبي فمن المهم أن تتحدث الى أطباء حول طبيعة المرض وطريقة تشخيصه وعلاجه بصورة مستقلة عما وصل اليك من العميل لكي تحصل على فهم أعمق للمسألة. وكما ذكرت سابقاً فان محركات البحث في الانترنت جعلت المعرفة متاحة حول أي موضوع تقريباً بصورة لم يشهد لها العالم مثيلا من قبل.

من الخطأ الذي يقع فيه بعض المحامين أنهم يقبعون في مكاتبهم بانتظار أن يزودهم العميل بجميع المعلومات والأدلة المطلوبة في الدعوى دون أن يقوموا بأي جهد في توجيه العميل لنوع الأدلة التي تخدم قضيته. وحين يتبنى المحامي مثل هذا الموقف فانه يفترض أن العميل يعرف مسبقاً ما هي المستندات والمعلومات التي ستخدم قضيته وأهدافه وهذا افتراض غير منطقي فلو كان العميل يعرف ذلك فان حاجته الى المحامي تصبح مسألة نظر. كما أن تبني أقوال ووجهة نظر العميل بدون تمحيص لا يخدم العميل في شيء، بل على المحامي أن يقوم بدور إيجابي في توجيه العميل ومساعدته على البحث عن الأدلة والمستندات والشهود الذي يخدمون دعواه. في كثير من الأحيان يرجع السبب في خسارة الدعوى ليس بسبب ضعف الدعوى نفسها وانما للقصور في طريقة عرضها للمحكمة ومرد ذلك الى قصور في فهم الموكل أو المحامي للوقائع أو عدم ادراكهما للبدائل المتاحة من الأدلة. ولكن ذلك لا يعني أن على المحامي مساعدة العميل على اختلاق الأدلة وانما عليه مساعدته على اكتشافها. لقد ساعدتني هذه الطريقة في العديد من القضايا التي عملت عليها، بل حتى في صياغة وتأليف هذ الكتاب الذي بين يديك.

ترتيب وتنسيق الأدلة

يجب أن تقوم بترتيب الأدلة التي تدعم قضيتك بشكل منطقي ومتسق بحيث تدعم هذه الأدلة الحجة أو الحجج التي تقدمها. ان الحجة أو الدفع بدون دليل هو عبارة عن قول مرسل لا يصلح للإثبات. وعليه فان ترتيب الأدلة وتنسيقها من المهارات الأساسية في الكتابة القانونية عموما، ولكن تزداد أهميتها في المذكرات القانونية أمام المحاكم وهيئات التحكيم. ويجب أن يتصل الدليل مع الدفع الذي تقدمه بصورة منطقية بحيث تتناسب النتيجة التي تقترحها مع دلالة الدليل. وفي حالة قيام الخصم بطرح أدلة تضر بقضية موكلك فعليك بالتفكير في تقديم أدلة تناهض الطرح الذي يقدمه الخصم أو أن تقدم تفسيراً منطقياً لسلوك موكلك بغرض الوصول لاستثناء

من القاعدة القانونية التي يدعيها الخصم. في المهارة السابقة كنت قد قمت بعمل خارطة أولية وعليك الرجوع اليها بغرض تصميم الأدلة التي ستحتاج اليها.

في حالة كون المستند يختلف أو يخرج عن إطار المذكرات القانونية فان الأدلة قد تكون الدراسات والاحصائيات التي تدعم الطرح الذي تتبناه في المستند، لذلك من الأهمية تحري المصادر الموثوق بها التي تستقي منها الأدلة. وتمثل المعاهد العلمية المتخصصة مثل الجامعات ومنظمات الأمم المتحدة والمنظمات الدولية المعروفة مصادراً تحظى بمصداقية أكبر من غيرها. وبنفس الطريقة فان فحص أدلة الخصم ومعرفة مصادرها سيساعدك على التصدي لها وبيان أوجه الضعف فيها وطرق الطعن في مصداقيتها أو في حياديتها.

ترجمة المستندات

عادة تكون اللغة العربية هي اللغة المعتمدة في المحاكم. وإذا كان هناك قانون يقضي بأن تكون المستندات المقدمة للمحاكم هي اللغة العربية (كما هو الحال في سلطنة عمان)[13] فان عليك ترجمة المستندات والأدلة والتقارير التي تصدر بلغة أجنبية الى اللغة العربية. ويجب تخيّر مكتب ترجمة أو مترجمين يتمتعون بخبرة ودراية كافية بأصول الترجمة القانونية لأن الترجمة التي سيقدمونها ستعتمد عليها المحاكم في فهم الوقائع. لذلك عليك بمراجعة الترجمة للتأكد من دقتها وخلوها من أخطاء تضر بقضية موكلك. أحيانا قد يكون من المفيد عرض ترجمتك الخاصة للفقرات الجوهرية للمترجم واستطلاع رأيه عليها، (ولكن لا يجب أن تكون ترجمة مغلوطة للمستند وانما ترجمة صحيحة وان كانت هي الأقرب لمصلحة موكلك).
أحيانا من المفيد تقديم ترجمة للمصطلحات القانونية الفنية بغرض مساعدة المترجم على القيام بترجمة احترافية. الاهتمام بالتفاصيل من أهم المهارات التي يجب على المحامي التمتع بها.

[13] أنظر المادة (27) من قانون الإجراءات المدنية والتجارية (وزارة العدل و الشؤون القانونية ، 2022) المرجع السابق.

التخطيط النهائي للمستند

لقد قمت بتحليل الوقائع وقمت بتحديد القانون الذي يحكمها كما قمت بدراسة الأدلة التي قدمها اليك العميل وبذلت الجهد الكافي في تقصيها بصورة موضوعية وتكونت لديك فكرة أولية معقولة عن الوقائع والقانون الذي يحكم تلك الوقائع. عليك الآن إنزال القانون على الوقائع في شكل منطقي مستخدماً طريقة الخرائط الذهنية عن طريق تكوين عناوين جانبية وعناوين فرعية أو بأي طريقة تراها مناسبة بحيث تساعدك على رسم الهيكل للمستند الذي تخطط لصياغته واضعاً بعين الاعتبار شخصية المتلقي والأهداف التي تنوي تحقيقها من صياغة المستند.

قد يتخذ التخطيط عدة أشكال وما يهم هنا ليس الشكل وانما مضمون هذا المخطط الذي يجب أن يشكل خارطة طريق تساعدك على بناء المستند من خلال المرحلة القادمة التي سنتناولها عند الحديث عن مهارة الصياغة أو الكتابة.

الخلاصة

ان التفكير النقدي ومهارات الانصات من المهارات المهمة التي يجب أن ينميها المحامي في جميع مراحل العمل القانوني، ولكن تزداد تلك الأهمية في مرحلة البحث والتحليل. ان الاستماع لموكلك بغرض فهم الوقائع مسألة جوهرية، ولكن عليك ألا تكتفي فقط بما سمعته من الموكل وأن تقوم ببحث تكميلي لفهم الوقائع بصورة كاملة وتغطية أي نقص ومعرفة الأخطاء ان وجدت.

بعد أن قمت بفهم الوقائع وتحديد الوقائع الجوهرية عليك بإجراء عمليات البحث القانوني بغرض تحديد القانون الذي يحكم هذه الوقائع متسلحاً بالاستراتيجيات التي تعرفت عليها في هذا الباب.

بنهاية هذه المهارة تكون قد أكملت عمليات البحث القانوني وقمت بإنزال القانون على الوقائع وتوصلت لمخطط مبدئي يوضح الدفوع التي سترتكز عليها في الصياغة والمسائل التي ستقوم بمناهضتها والتصدي لها وأصبحت تحمل خارطة نهائية واضحة للطريق الذي تسلكه وللهدف الذي تصبو اليه.

أنت الآن جاهز للانطلاق في أعمق مراحل الابداع الكتابي وهي مرحلة الصياغة وهي ما سنتناوله معا في الباب المقبل.

تمرين المهارة الثانية

البحث والتحليل

في هذا الدرس تعلمت خطوات البحث القانوني الثلاث:

أ- تحديد الوقائع.
ب- تحديد القانون.
ت- إنزال القانون على الوقائع ثم تحديد خارطة الدفوع.

اختر أحد الملفات الحديثة التي تعمل عليها وقم بالخطوات التالية باستخدام طريقة الخارطة الذهنية:

أ- تحديد الوقائع:
ماهي الوقائع المتعلقة بالملف؟ كيف حصلت على هذه المعلومات؟

إذا كان مصدر الوقائع هو العميل، فما هو البحث المستقل الذي يمكن أن تستخدمه للتأكد من المامك بجميع النواحي المتعلقة بالوقائع؟

كيف يمكنك أن ترشد العميل الى نوعية الأدلة التي تخدم قضيته؟

ب- تحديد القانون الواجب التطبيق
حدد القانون الذي يحكم الوقائع التي قمت بتحديدها

ما هي درجة هذا القانون (تشريع/دستور/ لائحة تنفيذية ...الخ)

ما هي القوانين الأخرى التي يمكن أن تتقاطع مع هذا القانون؟ كيف يمكنك الاستفادة من هذا التقاطع في بناء المستند الذي تعمل عليه؟

ت- إنزال القانون على الوقائع

حدد القاعدة/ القواعد القانونية التي يطرحها القانون. ما هي أركان هذه القاعدة/ القواعد؟ هل تشير الوقائع الى تحقق أركان القاعدة؟ كيف يمكنك الاستفادة من ذلك في صياغة المستند

ارسم مخططا للدفوع التي تنوي استخدامها مع رسم خطة للتعامل مع الدفوع/ الأدلة المناهضة

قسم المستند الى 3 أجزاء : مقدمة – موضوع – خاتمة

المهارة الثالثة: الصياغة

"إذا تمكنت من قراءة مادة مكتوبة دون جهد يذكر، فهذا معناه أنه تم بذل جهد كبير عند كتابة هذه المادة."

إنريكي جارديل بونشيلا

مقدمة

نحن الآن في مرحلة الصياغة التي ستعتمد فيها على الخارطة أو المخطط الذي صنعته في أثناء قيامك بأعمال مهارة البحث والتحليل. انها مرحلة التنفيذ التي تخرج المسودة الأولى للمستند للعالم وذلك بأن تقوم بإنزال القانون على الوقائع في شكل جمل وعبارات وفقرات وسنتحدث هنا عن أساسيات الصياغة القانونية.

تمثل مرحلة الصياغة المرحلة الوسطى بين مراحل الكتابة وهي حجر الزاوية لأنها المرحلة التي تخرج فيها أفكارك وشخصيتك الى الوجود. انها مرحلة الخلق الأولى حين ترى كلماتك أمامك في شكل جمل وفقرات تتحرك بين يديك وتحركها من مكان آخر طائعة وملبية لأوامرك. يتيح لك الحاسوب القدرة على تحويل كلماتك لجمل وتتحول الجمل لفقرات وتتجمع الفقرات لتشكل أقسام المستند الذي تصيغه.

في أثناء تناولنا للصياغة يجب أن ندرك أن لكل مقام مقال ويجب أن نضع في الحسبان شخصية المتلقي أو القارئ للمستند بحيث تنسجم الصياغة مع تلك الشخصية، وكلما استثمرنا الوقت والجهد في معرفة توقعات القارئ كلما زادت احتمالية قدرتنا على تلبية تلك الاحتياجات ومن ثم الوصول للهدف الذي نرجوه من الكتابة.

يقترح الكاتب روي بيتر كلارك في كتابه أدوات الكتابة أن يجمع الكاتب أدوات مثل ما يجمع النجار أدوات النجارة في صندوق الأدوات (Clark, 2006, p. 240)، بحيث تتكون في هذا الصندوق الأدوات التي يستخدمها الكاتب في حرفته والتي تشكل المهارات اللازم للكتابة. في هذه الفقرة ستتعرف على هذه الأدوات لتضمها الى صندوقك بحيث تستخدمها كلما احتجت اليها في أداء حرفتك ككاتب.

للعمل في المهارة الثالثة (وهي عادة الصياغة) نتناول صياغة المستند من حيث الشكل ومن حيث المضمون لأن عليك الاهتمام بالشكل والموضوع معاً، حيث إنهما وجهان لعملة واحدة. قد يشكك البعض في أهمية الاهتمام بالشكل باعتبار أن ذلك من قبيل التفكير السطحي. ولكن الاهتمام بالشكل لا يقتصر على الكتابة فقط، بل يدخل في نواحي لا تحصي من نواحي الحياة. فعلى سبيل المثال فإننا نشكل رأينا في الأشخاص الذين نلتقيهم أول مرة خلال العشر ثوان الأولى من لقائنا معهم؛ بحيث يصعب تغيير هذا الرأي بعد ذلك الا في حالات نادرة، رغم أن هذا الرأي قد استند على مصادر يغلب عليها الشكل حيث لا يمكن أن يكون الوقت قد اتسع لكي نصل إلى المضمون في خلال هذه الفترة الوجيزة من اللقاء. لذلك فان القول بتجاهل الشكل يخالف الواقع والمنطق السليم للأمور لأن الشكل يؤثر في أحكامنا شئنا أم أبينا.

في الجزء الثاني من هذا الباب نتطرق للحديث عن موضوع المستند من خلال شرح استراتيجيات الصياغة القانونية الفاعلة والتي تعمل على اقناع المتلقي وتحقق أهداف المستند وذلك عن طريق بيان مهارات الاحكام في الصياغة.

أولا: شكل المستند لا يقل أهمية عن مضمونه

سنتناول أولا شكل المستند قبل أن نتناول موضوعه. إذا أمعنت النظر في طريقة هذا الكتاب ستجد أنه يتبع نمطا متسقا في الكتاب وفقا للقاعدة التي استنها ديل كارنيجي وهي:

(1) أخبرهم بما ستخبرهم به	Tell them what you are going to tell them
(2) أخبرهم	Tell them
(3) أخبرهم بما أخبرتهم به	Tell them what you have told them

وبمعنى آخر تتكون الكتابة القانونية من التالي: (1) المقدمة (2) الموضوع (3) الخاتمة

.(Clark, 2006, pp. 119-123)

1. المقدمة:

تخيل أنك دعوت أحد أصدقائك إلى نزهة بالسيارة، وبمجرد أن استقل سيارتك وجلس بجوارك انطلقت بالسيارة دون أن تخبره بالمكان الذي ستذهبان اليه، ففي هذه الحالة فان صديقك سيصاب بالإرباك لأنه لا يعرف أين ستنتهي به الرحلة. إن فقرة المقدمة تعمل بمثابة العنوان، حيث تطلع القارئ على المكان الذي ستأخذه اليه في الرحلة التي سيمضيها معك. لذلك فإن المقدمة تعمل على تهيئة الراكب ليستعد ذهنياً لما ستطلعه عليه في الفقرات اللاحقة من المستند. ومن الضروري أن تكون المقدمة مشوقة ولكنها واقعية بحيث لا يصاب القارئ بخيبة أمل إذا وجد أن خاتمة المستند لا تتفق مع الوعد الذي قطعته له في المقدمة. لو نظرت في كل باب من أبواب هذا الكتاب ستجدني قد استهللته بمقدمة أطرح فيها ما سيحتويه هذا الباب. كما ستلاحظ أنني تطرقت الى الباب السابق في شكل استعراض سريع والغرض من ذلك هو أن تترابط الأفكار في شكل سلسلة متصلة في ترتيب منطقي.

في المذكرات القانونية عليك بتضمين مقدمة تلخص فيها الموضوع الذي ستطرحه في المذكرة لأن ذلك سيساعد القارئ على استيعاب التفاصيل التي ستطرحها لاحقاً في فقرة الموضوع. بالنسبة لصحف الدعوى فإن تقديم ملخص للدعوى سيساعد القاضي على فهم ما ستطرحه والغرض من الدعوى: لذلك عليك بتلخيص الدعوى بشكل مختصر، ولكن جامع. لكن دعني أحذرك أن فكرة تضمين ملخص للدعوى في مذكرات التقاضي ليس أمراً مألوفاً وقد تجد استنكاراً من بعض الزملاء بسبب التقاليد المترسخة المرتبطة بصياغة المذكرات القانونية.

2. الموضوع:

في فقرة المقدمة قطعت وعداً للقارئ وعليك الآن أن تفي بهذا الوعد في فقرة الموضوع. قد تتكون فقرة الموضوع من عدة أجزاء بحسب طبيعة المستند، ولكن محتواها هو تقديم الفكرة التي مهدت لها في المقدمة. يجب أن تكون الفقرات متسلسلة بشكل منطقي بحيث تكون فقرة (أ) قبل فقرة (ب) ثم تتبع ذلك فقرة (ج) وهكذا. من الشائع أن يعتمد الترتيب في الكتابة على التسلسل الزمني حيث تكون الوقائع الأقدم أولاً، ثم تتوالى حتى تصل لأحدثها زمناً (Rylance، 2012، صفحة 6). وقد يعتمد الترتيب على الأهمية حيث تبدأ بالمواضيع الأكثر أهمية ثم تقدم ما يليها في الأهمية وهكذا. وذلك كله يتعمد على طبيعة ونوع المستند، بل قد يكون المستند نفسه يحمل طريقتين للتسلسل. فمثلا في صحيفة الرد على الدعوى قد

تجدها تحوي ملخصاً للوقائع مرتبةً حسب الأسبقية الزمنية، ثم تتبعها الدفوع القانونية مرتبةً حسب أهمية الدفوع بحيث تكون الدفوع الأقوى في البداية. ولكن في حالة عدم وجود سبب واضح للترتيب حسب الأسبقية الزمنية فان من الأفضل أن يكون الترتيب حسب الأهمية بسبب أن تركيز ذهن القارئ يقل مع توغله في المستند حيث يكون التركيز في أشده في الصفحة الأولى وفي الصفحة الأخيرة. لذلك فمن الأفضل تقديم الدفوع الأقوى في البداية.

3. الخاتمة:

يتفق العديد من الخبراء على الحاجة لفقرة تلخص للقارئ ما قدمته له لكي ترسخ الفكرة في ذهن القارئ وذلك من خلال كتابة الخاتمة. فاذا كان المستند هو صحيفة دعوى أو أي مذكرة فمن المفيد أن تفرد فقرة ختامية تلخص فيها الدفوع التي قدمتها قبل أن تقدم طلباتك بصورة محددة للمحكمة.

عليه نخلص الى أن عملية الاقناع تتطلب تقديم الكتابة في شكل يلبي احتياجات القارئ حيث إن الشكل جزء لا يتجزأ من المضمون في عملية الكتابة بصفة عامة والكتابة القانونية بصفة خاصة.

ان تقسيم المستند الى مقدمة وموضوع وخاتمة يساعد القارئ على هضم المادة التي تقدمها وفق التسلسل المنطقي لعملية القراءة والفهم وفق الاجماع الذي توافق عليه مجتمع القراء والكتاب.

ان القارئ يتوقع أن تكون عملية القراءة سهلة ولا تستهلك طاقة ذهينه بدون داع لذلك عليك مراعاة هذه التوقعات بجعل القراءة سهلة على عين القارئ وعقله. فاذا اضطر القارئ لاستهلاك طاقة ذهنية زائدة فسينقص رصيده في التركيز على فهم مستندك وإذا تعبت عيناه أثناء القراءة فقد يتوقف عن المواصلة. سنتناول هذا الأمر بتفصيل أكثر في الفقرات التالية التي سنوضح فيها بعض الأساليب والاستراتيجيات التي تسهل على القارئ فهم المستند الذي تقو بصياغته وتساعدك على توصيل رسالتك لذهن القارئ بسهولة ويسر. ان هذه الاستراتيجيات ليست حصرية، ولكنها تشكل الدعامة الأساسية لمن يرغب في الوصول الى الوضوح والاحترافية عند صياغة المستند.

من واجبك مساعدة عين القارئ على القراءة

القراءة عملية مرهقة للعين وإذا تعبت العين فإنها ستتوقف عن المواصلة كما ذكرت سابقا. لذلك فان عليك مساعدة عين القاري وذلك من خلال الاستراتيجيات التالية (Canavor, 2017, pp. 92-100):

(أ) **اختيار الخط والقياس المناسبين**: بالنسبة للكتابة باللغة العربية فان الخط (Times New Roman) أو خط (Areal) يجعلان الكتابة واضحة المخارج وهو نفس التأثير في الكتابة باللغة الإنجليزية وعليك بتجنب الخطوط المزخرفة غير الرسمية. وفي جميع الأحوال يجب مراعاة الاتساق في جميع نواحي المستند، بحيث لا تتنقل بين الخطوط، بل عليك باستخدام نوع واحد من الخطوط في جميع صفحات المستند. بالنسبة للقياس فإنني أرى أن القياس 14 أو 16 مناسبين للغة العربية. أما في اللغة الإنجليزية فان قياس 12 أو 11 هما الشائعين في الكتابات الرسمية (المرجع السابق، صفحة 63). كذلك فان لون الخط يجب أن يقتصر على الأسود في الكتابة والابتعاد عن الألوان لأنها من قبيل البهرجة ولأنها تفقد قيمتها عند نسخ المستند حيث لا تظهر الألوان عادة عند النسخ.

(ب) **الترقيم**: الترقيم من المسائل المساعدة على الايضاح (Rylance، Writing and Drfating in Legal Practice، 2012، الصفحات 209-217) والتي قد يقلل بعض المحامين من أهميتها. من الأمور التي لفتت نظري في أثناء دراستي وممارستي للقانون في كندا هو أن المحامين والقضاة يرقمون فقرات صحف الدعاوى، والمذكرات، والأحكام القضائية بصورة واضحة. تتجلى الفائدة من ذلك في إمكانية الإشارة الى الفقرة برقمها فقط دون الحاجة لكتابة كامل الفقرة وبذلك تقل الحاجة للتكرار والاطالة. وتتعاظم الفائدة في ترقيم الأحكام التي تصدرها المحاكم في حالات الاقتباس من هذه الأحكام حيث يمكن الإشارة الى مصدر القاعدة أو المسألة بصورة أكثر تحديداً. وفي حالة تبادل المذكرات في أثناء سير الدعوى يمكن الرد والتعقيب على النقاط القانونية بواسطة الإشارة للرقم الذي تحمله. ومن المفضل استخدام الترقيم الرقمي المبسط (مثل 1و2 و3 أو 1.1 و 1.2) والاقتصار على الترقيم بالحروف الأبجدية:(مثل (أ)، (ب) و (ج)) في أضيق الحدود وللنقاط الفرعية و الأمثلة فقط.

(ت) **المساحات البيضاء:** الفراغات البيضاء بين الفقرات تمثل استراحة للعين وهي تضفي شكلاً منسقاً للمستند، ولذلك من المهم أن تقسم المستند الى فقرات بينها مساحات بيضاء (Canavor, 2017, p. 62). ومن المهم ألا تجعل العنوان الجانبي وحده في نهاية الصفحة دون أن تكون أي جمل تحته، وفي هذه الحالات عليك بنقل العنوان الجانبي الى الصفحة التالية لينضم الى الجمل المصاحبة له ويفضل استخدام مفتاح(Page Break) من قائمة اختيارات الحاسوب لتحقيق هذا الغرض.

(ث) **التناسق والترتيب:** إن وجود بقع على المستندات ينفرعين القارئ ويعكس صورة سلبية عن الكاتب. لذلك استخدم ورقاً أبيضاً نظيفاً ومن نوعية جيدة. إذا كان مستوى حبر الطباعة منخفضاً فعليك بتبديله قبل طباعة المستند لأنه سيجعل الكتابة باهتةً أو غير مقروءة. وكما ذكرت غان عليك مراعاة استخدام نفس النوع من الخط في جميع أجزاء المستند وتنظيم الفقرات والصفحات بصورة منسقة واحترافية.

(ج) **العناوين الفرعية:** تعمل العناوين الفرعية كأدوات توجيه للقارئ (المرجع السابق، صفحة 93). تخيل أنك تقود سيارتك في مدينة غريبة، ولا توجد إشارات ترشدك إلى الأحياء والمناطق، أو أين يقود هذا الشارع أو ذلك، ستتوه بين شوارع المدينة. ولذلك فإن العناوين الجانبية ترشد الى أين تتجه بكتابتك، مثلما ترشد علامات الشوارع المارة وسائقي السيارات. عليك باستخدام عناوين فرعية مختصرة ومعبرة عن الموضوع الذي تحتويه الفقرة أو الفقرات التي تحتها. حتى عند صياغة العقود فقد يكون من المفيد أن تجمع الفقرات المتشابهة تحت عنوان جانبي مميز يشرح مضمون هذه الفقرات. إذا نظرت لهذا الكتاب ستجد أن جميع أبوابه مقسمة تحت عناوين فرعية تحت كل عنوان مجموعة من الأفكار المتناسقة لتسهل عليك التنقل بينها واستيعابها.

ثانيا: مضمون المستند يعكس قيمته

بعد أن تناولنا شكل المستند سنتحدث عن موضوعه. من أهم عيوب كتابات القانونيين الإطالة والتكرار (بدون مسوغ) بسبب أن الكلمات الزائدة تبطيء سرعة القارئ وتمنعه من الوصول للمعني بسرعة، فهي بذلك مثل أحمال زائدة على ظهر القارئ دون أن تضيف له أي فائدة. وتتعدد أسباب التكرار: فقد يكون مردها الخوف من تفويت مسألة أو دفع قانوني وقد يكون السبب هو العادات التي توارثها المحامي، أو ق يكون السبب هو إحساس المحامي بضرورة استخدام عبارات مفخمة ورنانة وتفادي الكلمات البسيطة. ولكن في الغالب فإن الإطالة ترجع لغياب التخطيط أو للتخطيط الخاطئ، مقروناً مع التركيب الخاطئ للجمل. ومن أهم فوائد عادة التخطيط أنها تعمل على تفادي عيب التكرار لأنها توضح المكان المناسب للدفع القانوني ومن ثم تقل احتمالية التكرار. الاستراتيجيات التالية ستساعدك على معالجة هذه المسألة وسنتناولها كالتالي:

أ) **خير الكلام ما قل ودل**

هناك تناسب عكسي بين عدد الكلمات ورسوخ المعنى في الذهن، فكلما زاد عدد الكلمات قل تأثيرها (Wilbers، 2014). لذلك عليك باستخدام جمل قصيرة يغلب عليها تركيب: فعل، ثم فاعل ثم مفعول به. مثلا إذا قلت "قام المدعي بسداد الأجرة" فقد استخدمت أربع كلمات. ولكن إذا قلت "الأجرة التي تم سدادها كانت بواسطة المدعي" فقد استخدمت سبع كلمات واضطر القارئ للانتظار حتى الكلمة السابعة لكي يعرف من الذي سدد الأجرة، القارئ لا يحب الانتظار ومثل هذه الكلمات الزائدة لا تجعله يقف إلى صفك. وإن كان هذا الحال في الكتابة القانونية بشكل عام فإن لكل قاعدة استثناء، حيث قد تكون هناك حالات تستدعي جملاً طويلةً (وسأتناول هذا الموضوع بمزيد من التفصيل لاحقاً). ولكن يجب أن تكون كل كلمة تجلب إضافةً للمعنى المراد ايصاله. وتمثل الكلمات في بداية الجملة ونهايتها تأثيراً أكبر من الكلمات وسط الكلمة، لذلك إذا أردت زيادة التأثير فعليك بوضع المعلومة الأهم في بداية أو نهاية الجملة. وإذا أردت تقليل تأثير المعلومة (كالمعلومات السلبية أو التي تضر بقضيتك) فعليك بوضعها في وسط الجملة.

(ب) **تجنب التكرار**

التكرار يجلب الملل، وكقاعدة عامة عليك بتفادي استخدام نفس الكلمة مرتين في نفس الجملة، بل في نفس الفقرة ما أمكن ذلك. ولكن في نفس الوقت عليك مراعاة القاعدة المستمدة من قواعد التفسير وهي أن **اختلاف اللفظ يشير إلى اختلاف المعنى**. لذلك تتسم الكتابة القانونية في الكثير من الحالات بدرجة أكبر من التكرار مقارنةً بغيرها من أنواع الكتابة بسبب أن الحاجة للوضوح تغلب على الحاجة للتنويع. فإذا كان هناك شك بأن استخدام كلمة مرادفة قد يخل بالمعنى المراد، فلا بأس من التكرار، ولكن دون مبالغة.

(ت) **استخدم المبني للمعلوم بدلاً من المبني للمجهول**

الفعل المبني للمجهول يخفي الفاعل ومن ثم تضطر لزيادة عدد الكلمات في الجملة، كما أن حيوية الجملة تقل لاختفاء الفاعل الذي يبعث الحركة في الجمل (Canavor, 2017, p. 83). لذلك عليك بتغليب الفعل المبني للمعلوم واستخدام أفعال قوية تنقل المعنى المراد. لكن في بعض الأحيان قد يكون من المرغوب فيه استخدام الفعل المبني للمجهول، مثلا في حالة الرغبة في حفظ ماء وجه الطرف الآخر كما في المثال التالي: "تم العثور على بعض الأخطاء في التقرير السابق" بدلاً من عبارة: " لقد ارتكبت أخطاء في التقرير السابق يا سامي".

(ث) **الاستخدام الصحيح لعلامات الترقيم**

قد يبدو هذا القول من البديهيات، ولكن الاستخدام الخاطئ لعلامات الترقيم يضر بالكتابة. وفي نفس الوقت فإن الاستخدام الصحيح يعزز المعنى ويزيد وضوح مقاصدك. اليك استعراضاً لأهم علامات الترقيم:

- **استخدم علامة التنصيص وتكتب هكذا:(( ))** وتستخدم علامة التنصيص لبيان أن العبارات التالية تم اقتباسها ونقلها بصورة حرفية كما وردت عن قائلها. مثال قال الرسول صلى عليه وسلم: ((كلكم راع وكلكم مسؤول عن رعيته)).
- **استخدم النقطتين** (:) تستخدم النقطتان للدلالة على أن العبارات التالية هي سلسلة من الأشياء. وتستخدم أيضا للدلالة على أن العبارات التي تلي النقطتين تحمل معنى الشرح أو التلخيص للعبارات التي تسبقها، فهي تعمل كإعلان ينبهنا لما سيأتي.

- **استخدم الفاصلة المنقوطة (؛):** تستخدم الفاصلة المنقوطة لتفصل بين جمل يستريح عندها القارئ بوقفة متوسطة لكنها أقوى من الفاصلة العادية (سلسة الادارة التعليمية ، 2019، صفحة 284). وتستخدم الفاصلة المنقوطة في أربعة مواضع هي كالتالي:

(أ) بين جملتين بحيث تشرح الجملة الأولى ما تعنيه الجملة الثانية؛
(ب) بين جملتين تكون الجملة الأولى قد تسببت في وجود الجملة الثانية؛
(ت) بين جملتين تكون الجملة الثانية هي نتيجة منطقية للجملة الأولى؛
(ث) ترد الفاصلة المنقوطة بعد "اجمال" الأشياء التي سبق ذكرها بحيث يكون الإجمال بمعنى اشتمال جميع أنواعها أو عناصرها مثل: لقد قابلت جميع أفراد العائلة؛ صغيرهم وكبيرهم.

- **استخدم النقطة (.):** للدلالة على نهاية الجملة. اما إذا كانت الجملة غير مكتملة المعنى فان الأصوب هو أن تنتهي بعلامة الفاصلة المنقوطة.
- **استخدم الفاصلة (،):** للفصل بين فقرات الجملة الواحدة والفاصلة تمثل استراحة قصيرة بين فقرات الجملة يقف فيها القارئ وقفة خفيفة أقل من وقفته عند الفاصلة المنقوطة.
- **استخدم علامة الاستفهام (؟):** عند طرح سؤال حقيقي وليس مجرد تعليق.
- **استخدم علامة التعجب (!):** عليك استخدامها عند الضرورة القصوى وعدم الاكثار منها وفي حالة مزجها مع علامة الاستفهام فان علامة الاستفهام يجب أن تسبق علامة التعجب وفي كل الأحوال فإنها يجب أن تشير لتعجب شخص آخر غير الكاتب.
- **استخدم ثلاث نقاط (...):** لتدل على أن هناك كلمات محذوفة وقد شاع بين الكتاب استخدام لفظ "الخ" لتدل على " الى آخره" بعد النقاط الثلاثة ولا أرى بأسا في ذلك من باب التوضيح، ولكن ذلك لا يجوز إذا كانت الكلمات الناقصة في بداية الجملة ولا يجب أن تزيد على ثلاث نقاط.
- **استخدم القوسين ( ):** للفصل بين فقرات داخل الجمل الواحدة أو لتقديم معلومة عرضية أو تفسير لشيء يسبقها بحيث يكون الغرض هو تصغير تأثير الكلمات داخل القوسين.
- أما إذا أردت زيادة تأثير الكلمات العرضية فان الأصوب هو وضع الكلمات بين – مثل هذه الكلمات- للوصول للغرض.

مراعاة قواعد النحو والصرف

ليس المقصود من هذا الباب تكرار ما تعلمته في صفوف المدرسة الابتدائية، ولكن الاحترام جزء من عملية الاقناع ولا يمكن للمحامي أن ينال احترام القارئ إذا كانت كتابته تعج بالأخطاء الاملائية أو النحوية، لأنها تضعف مصداقية المحامي وتعمل على تشتيت تركيز القارئ وتشككه في محتوى الكتابة، حيث قد يقول القارئ لنفسه: إذا كان الكاتب قد أخطأ في كتابة كلماته فما أدراني أنه لم يخطئ في شيء آخر؟

يقول البعض ان قواعد الصرف والنحو تعبر عن الإجماع الذي توصل إليه خبراء اللغة مقروناً بقبول مستخدمي اللغة لهذا الإجماع، ولذلك فإن الخروج عن هذا الإجماع (بدون وجود سبب منطقي) يعرض الكتابة للخطر ويضع سمعة الكاتب القانوني على المحك.

لن يتسع المجال هنا لتغطية جميع قواعد النحو والصرف وإنما سأركز على أكثر الأخطاء انتشاراً في كتابات القانونيين لكي تكون كمرجع تبدأ منه ولا بأس من أن تضيف لهذه القائمة الأخطاء المتكررة التي تلاحظها في كتاباتك أو الكتابات التي تقع تحت يدك بحيث تنمي لديك حس المراجعة والتدقيق لأنها ستساعدك في هذه المهارة التي سنتطرق فيها لهذه المهارة بتفصيل أكثر في الباب التالي.

ان الاستخدام الصحيح لقواعد النحو والصرف يخلق تقارباً بين ذهن الكاتب والمتلقي لأنها يستخدمان قواعد متفق عليها مسبقاً حيث يحس المتلقي بنوع من الثقة في الكتابة التي يقرأها لأنها تنسجم مع توقعاته بالنسبة للقواعد التي يعرفها فيصبح أكثر قابليةً وانفتاحاً على تقبل المحتوى. فكأن المتلقي يقول لنفسه: "انني أعرف هذا الكاتب لأنه يستخدم نفس القواعد التي أستخدمها ولأنه يحترم قواعد النحو التي أعرفها وعلي أن أستمع لما يقول."

الأخطاء الشائعة

سأتناول هنا خمس أخطاء هي الأكثر شيوعا في الكتابة، مع مراجعة سريعة للقواعد النحوية التي تحكمها كما تناولها عدد من النحويين واللغويين أمثال سامي صقر في كتابه (تعلم قواعد النحو والاعراب) وكما جاء في كتابات سعيد العمودي (التي دققها أحمد بني عمر) ويارا تعامرة وغيرهم من علماء اللغة العربية.

(1) أحكام الفعل الصحيح والفعل المعتل

يمكن تقسيم الفعل إلى صحيح ومعتل وفقاً للتالي (العمودي، 2021):

(أ) الفعل الصحيح

حروف العلة هي الواو والياء والألف. والفعل الصحيح لا توجد ضمن حروفه الأصلية أي من حروف العلة المشار اليها. ومثال ذلك كلمه جلس وكتب. ويقسم الفعل الصحيح الى ثلاثة أقسام فرعية هي:

- الفعال الصحيح السالم: وهو ما سلم من الهمزة والتضعيف مثل: ضرب- كسر - فتح.
- الفعل الصحيح المهموز: وهو الفعل الذي يحتوي على همزة مثل: سأل – أمر- قرأ.
- الفعل الصحيح المضعف: وهو الفعل الذي يحتوي على شدة مثل: كبّر، ذلّل.

(ب) الفعل المعتل

هو الفعل الذي فيه حرف عله وهو يقسم بدوره لثلاثة أنواع (المرجع السابق):

- الفعل المعتل المثال: وهو الفعل الذي أوله حرف علة مثل: ورث، أكل.
- الفعل المعتل الأجوف: وهو الفعل الذي أوسطه حرف علة مثل: شاع، يقول.
- الفعل المعتل الناقص: وهو الفعل الذي آخره حرف علة مثل: صلى، ينمو.

- **أحكام الفعل المعتل**
  - إذا جاء الفعل المعتل الأجوف في حالة الجزم أو الأمر فيجب حذف حرف العلة. مثال: نام (فعل ماضي) تتحول الى نم (فعل أمر) وتتحول الى لم ينم (في الجزم).
  - إذا جاء الفعل المعتل الناقص في حالة الجزم أو الأمر فإننا نحذف حرف العلة. مثال: صلى تنقلب الى صل (فعل أمر) وتتحول الى لم يصل (في الجزم).

تمثل أحكام الفعل المعتل تحدياً للعديد من الكتاب ومن المهم معرفة الأحكام المتعلقة بها. وقد بينت التجارب صعوبة إدراك الفروق الدقيقة بين هذه الأحكام المختلفة لذلك على القانوني التمعن فيها والاستعانة بكتب النحو والصرف عند الحاجة.

(2) أحكام الجملة الفعلية

من المهم معرفة أحكام الجملة الفعلية، وتتكون الجملة الفعلية من فعل وفاعل وقد يلحق بهما مفعول به إذا كان الفعل متعديا ولم يكتمل المعنى. مثل يكتُب الطالبُ الدرسَ.

وفي الجملة الفعلية يبقى الفعل مفرداً، حتى لو تغير الفاعل الى مثنى أو جمع. فنقول كتبَ الطالبُ الدرسَ. وكتبَ الطالبان الدرسَ وكتبَ الطلابُ الدرسَ. ولكن في حالة الجملة الاسمية فيجب أن يطابق الفعل الفاعل من حيث العدد. فنقول الطالبان كتبا الدرسَ. والطلاب كتبوا الدرسَ.

الترتيب في الجملة الفعلية

الأصل في الترتيب أن يسبق الفعل الفاعل في الجملة الفعلية، فنبدأ بالفعل ثم الفاعل ثم المفعول به. ولكن هناك ثلاث حالات يجب فيها تقديم المفعول به على الفاعل وهي كالتالي (تعامرة، 2018):

أ- إذا كان المفعول به ضميراً من ضمائر النصب مثلا: (إياك نعبد) فلا نقول نعبد إياك.
ب- إذا كان المفعول به اسم استفهام مثلا: أي الكتب قرأت؟
ت- إذا كان المفعول به اسم شرط مثلا: أيا ما تدعو فله الأسماء الحسنى.

(3) الأسماء الخمسة

الأسماء الخمسة هي أخ، أب، حم، ذو، فو.

اعراب الأمساء الخمسة: خلافا لباقي الأسماء، فان الأسماء الخمسة تعرب بواسطة حروف ولا تعرب بحركات الإعراب مثل الفتحة والضمة والكسرة. فهي ترفع بالواو وتنصب بالألف وتجر بالياء. فنقول جاء أبوك إلى بيت أخيك ورأيت حماك معه. (ولكن يشترط أن تكون متصلة بضمير غير ياء المتكلم) (صقر، 2018).

أما إذا كانت الأسماء الخمسة متصلة بياء المتكلم فتعرب بالحركات المقدرة على آخرها. فنقول: جاء أخي (أخ فاعل مرفوع بالضمة المقدرة على ما قبل أخره وهو مضاف والياء مضاف اليه في محل جر) (نفس المرجع السابق).

(4) الأسماء الممنوعة من الصرف

الاسم الممنوع من الصرف لا يقبل حركات التنوين كلها، كما لا يقبل حركة الكسر (عوض الله، 2020). وعليه فان الاسم الممنوع من الصرف يقبل فقط حركتي الضمة والفتحة. فنقول مررت بإسماعيلَ رغم أن إسماعيل سبقه حرف جر. وأيضا نقول جاء اسماعيلُ لأن إسماعيل هنا فاعل مرفوع بالضمة.

والاسم الممنوع من الصرف يتكون من الأصناف الخمسة التالية

(أ) اسم العلم الذي ينتهي بألف التأنيث المقصورة (مثل سعدى/ فدوى/ ليلى). وكذلك اسم العلم الذي ينتهي بألف التأنيث التي تتبعها الهمزة (مثل بيداء/ سماء/ فيحاء).

(ب) صيغة منتهى الجموع إذا جاء بعد ألف التكسير حرفان أو ثلاثة. مثال ملاعب ومضارب ومحاريب.

(ت) اسم العلم الذي ينتهي بتاء التأنيث حتى وان كان الاسم يدل على مذكر (مثل عكرمة وحنظلة) وحتى ان كان اسم العلم يدل على مؤنث (مثل فاطمة وعائشة).

(ث) اسم العلم الأعجمي الذي يزيد على ثلاثة أحرف، مثل تركيا واليزابيث.

(ج) الأسماء المركبة تركيبا مزجيا، مثل بورسعيد /حضرموت/خميس مشيط.

(5) أحكام العدد

للأعداد أربعة أحكام هي كالتالي (الحياري، 2020):

(أ) **العددان واحد واثنان:** يتفقان مع جنس المعدود فنقول رجلٌ واحدٌ وامرأتان اثنتان.

(ب) **العدد من ثلاثة الى تسعة**: تكون على عكس جنس المعدود: فنقول ثلاث بقرات وثلاثة رجال.

(ت) **العدد عشرة منفرداً:** يكون على عكس المعدود: فنقول عشَرة رجال (الشين علامتها الفتحة) وعشْر بقرات (الشين علامتها السكون).

(ث) **العدد عشرة إذا كان مركباً مع عدد آخر**: يوافق جنس المعدود. فنقول أحد عشر رجلا وثماني عشرة بقرة.

(ج) **الأعداد من عشرين حتى تسعين:** تلزم صورةً واحدةً مع المعدود لا تتغير مع جنسه. فنقول حضر ثلاثون رجلاً وثلاثون امرأةً.

(ح) **الأعداد مئة ومضاعفاتها:** تلزم صورة واحدة، ولكنها تكسر تمييزها فيكون مفردا مجرورا بالإضافة. فنقول رأيت مئة رجلٍ ومئة امرأةٍ.

من الأخطاء الشائعة الأخرى الأخطاء في الكتابة القانونية الأخطاء في فهم وتطبيق أحكام **همزة الوصل وهمزة القطع** وأحكام اعراب المثني وأحكام ان واخواتها وكان واخواتها.

التصوير اللفظي

التصوير اللفظي يعني أن تجعل الألفاظ توضح المعنى المراد في شكل صور يتخيلها العقل بدلاً من معاني مجردة لا تحمل حركة أو صور (Spence، 1995). ان العقل البشري يفضل الصور على التجريد ولذلك يرى العديد من العلماء أن مادة الرياضيات تبدو صعبة الفهم بسبب كونها تدور حول مفاهيم رياضية مجردة لا حياة فيها. ومن وسائل التصوير اللفظي ضرب الأمثال أو التشبيه بحيث تنقل للقارئ أن المسألة س (وهي معنى مجرد) يشبه ص المسألة (وهي صورة يعرفها

القارئ). لقد استخدم القرآن الكريم التصوير اللفظي وضرب الأمثال لكي يوضح للعرب صوراً غير حسية مثل الايمان واليوم الآخر.

ويحث براين جارنر في كتابه (Legal Writing in Plain English) على استخدام أسماء الأشخاص في الكتابات القانونية بدلاً من المدعي/ المدعى عليه وذلك لسببين (Garner، 2013):

(أ) الأول بسبب التشابه اللفظي بين عبارة المدعي والمدعى عليه وهو ما قد يؤدي للإرباك.

(ب) والثاني هو أن ذلك يحول المدعي من إنسان إلى ما يشبه الجماد، ومن ثم يفقده الجانب الإنساني الذي يستدعي تعاطف القاضي.

وفي حالة الضرورة يمكن استخدام عبارة مميزة للإشارة لأحد الأطراف مثل "الشركة" أو "النقابة" أو "الهيئة" أو ما شابه ذلك. وأنا أتفق مع هذا الرأي خاصة في صياغة العقود، حيث عليك تجنب استخدام عبارات مثل "الطرف الأول" و"الطرف الثاني" واستبدال ذلك باسم مميز لكل طرف من أطراف العقد. أما بالنسبة لصحف الدعاوى ومذكرات المحاكم فان التوقعات باستخدام عبارات مثل "المستأنف" و"المستأنف ضده" قد تجعل المسألة أكثر صعوبة، ولكن ذلك لا يعني انقاصاً في القيمة التي تضيفها استبدال عبارة المستأنف بعبارة مثل "المستشفى" إذا كان هنالك مستشفى واحد كخصم في الدعوى.

من المهم مراعاة الوقع الصوتي للكلمات أو ما يعرف بموسيقى الكلمات وهو الصوت الذي تصدره الكلمات ووقعها على الأذن بحيث تختار الكلمات التي لها وقع موسيقي مناسب. ويكون ذلك عادة بقراءة المستند بصوتك لكي تسمع وقع الكلمات على أذنك وسيرشدك ذلك للنغم الذي تصدره هذه الكلمات لكي تقوم بتعديلها. ان القراءة بصوت عال هي أكثر وسيلة فاعلة لإتقان هذه المهارة.

التنوع في طول الجملة مسألة أساسية بحيث لا تكون الجمل كلها طويلة أو كلها قصيرة وانما تتنوع بين الطول والقصر لأن ذلك التنوع يضفي جمالاً على الكتابة ويكسر رتابتها.

قد يكون من المناسب في بعض الحالات ضرب أمثال أو التعليق على أحداث معاصرة تعج بها الأخبار لأن ذلك يضفي على الكتابة نكهة المعاصرة ويزيد من التشويق، لأن القارئ يرى الرابط بين الأحداث المعاصرة وبين الكتابة. وهذا الأسلوب منتشر بين نجوم الكوميديا، حيث يتناولون في نكاتهم أحداثاً سياسيةً أو اجتماعيةً معاصرةً ويضعونها داخل نكاتهم في شكل تعليق على الشخصيات السياسية أو غيرها من الشخصيات المعروفة. ولكن يجب الحذر في استخدام مثل هذا الأسلوب في صحف الدعاوى المقدمة للمحاكم حتى لا تبدو كنوع من النكات الرخيصة.

الجانب الآخر للقصة (أو دفوع الخصم)

لقد ذكرت سابقا أن الكتابة القانونية بطبيعتها هي كتابة تنافسية، بمعنى أن هناك طرفاً آخر للقصة سيسعى لتقديم صورة تعاكس أو تناهض أو تدحض قصتك وحججك. ويدور جدل بين المهتمين بصياغة المذكرات القانونية حول جدوى استباق الخصم في تناول الدفوع التي لم يتقدم بها بغرض تفنيدها مقدماً. فهناك رأي مخالف يقول بالانتظار حتى يتقدم الخصم بمثل هذه الدفوع ثم الرد عليها بعد ذلك. ولكل جانب حجته التي تستند على أسباب منطقية وسائغة. فمن يرى بأن على المحامي عدم التسرع في اثارة دفوع لم يتقدم بها خصمه (لأن ذلك الخصم قد يغفل عنها) فلا تثريب عليه لأن لهذا الرأي وجاهته، حيث ليس من الحكمة فتح أبواب قد كفاك الله عناء مواجهتها. وهذا الرأي يستند على أن لكل مقام مقال ولذلك على المحامي ألا ينبه خصمه إلى دفوع قد تكون فاتت عليه أو لم يدركها.

ولكن الرأي المخالف يقول بأن المحك ليس هو ذهن محامي الخصم وإنما هو ذهن القاضي، فإذا كان الدفع يتعلق بمسألة ستعلق بذهن القاضي وسيتساءل عنها، فمن مصلحة المحامي التصدي لها وتفنيدها حتى وإن لم يتطرق لها الخصم، لأنها ستظل بدون إجابة في ذهن القاضي. وعندما لا يجد القاضي الإجابة في المستند المقدم إليه فقد يتبرع ذهنه بتقديم إجابة قد لا تكون في مصلحة المحامي، ولذلك على المحامي عدم المخاطرة بترك مثل هذه الدفوع بدون معالجة. يرى بريان جارنر أن على المحامي التصدي للدفوع المقابلة، ولكنه يقترح التعامل معها في منتصف الفقرة بحيث لا تكون في البداية أو في النهاية، مع تقديم هذه الدفوع بصورة مختصرة لعدم تضخيم أثرها. إن هذا الطرح يستند على طريقة تقديم وعرض

الحجة وعلى التأثير النفسي لموضع الكلمات في الجملة على القارئ، حيث إن الثابت أن الكلمات التي تأتي في نهاية الجملة لها تأثير أكبر من الكلمات التي تكون في وسط الجملة. وعليه فإن وضع حجج الخصم في المنتصف يوحي بعدم أهميتها أو قلة قيمتها أو تأثيرها بحيث لا تعلق بصورة متعاظمة في ذهن القارئ.

وعلى الرغم من أنني أميل لرأي جارنر فإن ذلك لا يعني أن ذلك ينطبق على جميع الحالات بدون استثناء، وانما يعني إعمال النظرة الفاحصة والحكم بناءً على معطيات كل حالة على حدة. إن الاعتماد على الحدس ليس من قبيل اتباع الهوى، وإنما يعني الإنصات للصوت الداخلي الذي يدلك على الحكم الصحيح، حتى وان لم تظهر لك أسباب واضحة سوى إحساسك الداخلي، لذلك عليك بتعلم الاستماع لحدسك ولصوتك الداخلي لإرشادك إلى الطريق الصحيح والإجابة على الأسئلة التي لا ترى لها إجابة من مصدر ظاهر.

وبغرض تصميم الدفوع والحجج وصياغتها يقدم جارنر الشكل التالي الذي يمثل خارطة الطريق للمحامي (Garner، 2013، صفحة 104):

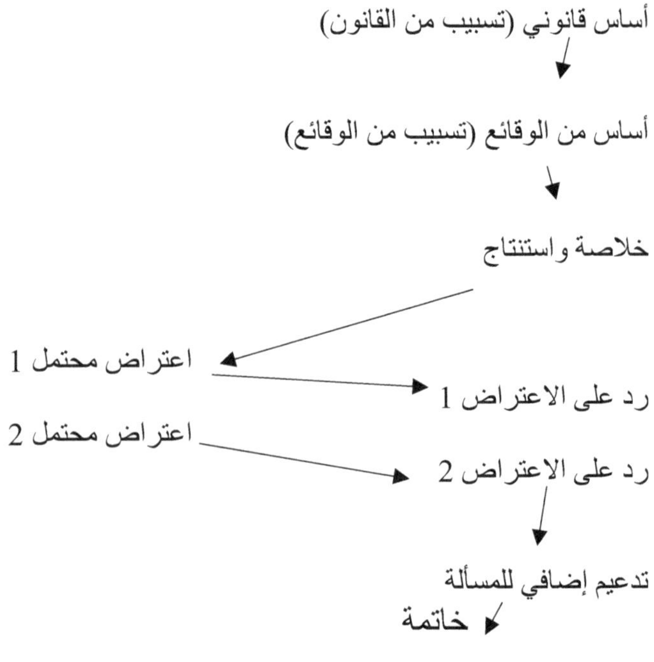

ان طريقة جارنر في تصميم الدفوع قد تبدو معقدة من أول وهلة وصعبة التطبيق في الصياغة باللغة العربية، ولكن من المفيد التركيز على معرفة المفهوم أو النظرية مع المرونة في كيفية التطبيق على الواقع في أثناء عملية تركيب الدفوع القانونية.

أما في حالة الكتابات القانونية الأخرى خلاف مذكرات الدعوى والطعون أمام المحاكم، فإن تناول الوجه الآخر للمسألة أو الرأي المخالف هو أمر جوهري. إن عدم تطرقك للرأي المخالف في مثل هذه الحالات يبدو كأنك تقول للقارئ: ان رأيي هو الحق الذي لا يأتيه الباطل من بين يديه وعليك أن تقبل به وبذلك يرشح إشارات تدل اما على الغرور أو الكسل أو عدم الكفاءة وكلها إشارات لا تصب في صالحك.

اختيار الكلمات

ان اختيار الكلمات المناسبة لتعبر عن الفكرة التي تريد نقلها يعتمد على حصيلة الكلمات التي تملكها والتي يمكنك استدعائها من الذاكرة. ان زيادة الحصيلة اللغوية يعتمد على حصيلة القراءة، فكلما ازدادت جودة الكتب التي تقرأها وتنوعها كلما ازدادت الحصيلة اللغوية التي يمكنك الاختيار منها، ولذلك فإن القراءة الجيدة هي المفتاح للكتابة الجيدة. لقد كانت أول آية نزلت على نبينا محمد صلى الله عليه وسلم هي آية: اقرأ؛ لذلك فلا بديل عن القراءة لتحسين مهارات الكتابة.

ولكن اختيار الكلمات وحده لا يكفي، بل إن ترتيب الكمات وتنسيقها في الجملة هو الفيصل في تركيب الجمل، حيث إن اختيار موقع الكلمة في الجملة لا يقل أهمية عن اختيار الكلمة نفسها. لكل كلمة جرس موسيقى خاص، ومن ثم فإن ترتيب الكلمات في نسق معين يخلق نغمات تطرب لها الأذن مثلما تسر العين من تنسيق الألوان في اللوحة الفنية، حيث تشبه عملية ترتيب الكلمات عملية ترتيب الألوان التي يصنعها الرسام أو ترتيب الزهور التي يصنعها منسق الحدائق الحاذق، لكن في الكتابة القانونية فإن التركيز يكون على اختيار الكلمات التي تحمل المعنى المراد بدقة ووضوح.

وقد يكون من المناسب أن توضح المعنى المراد من خلال نفي المعنى غير المراد، وهو من أبلغ صور التعبير، فحينما تريد توضيح معنى حالة البضاعة فقد يكون

من المناسب أن توضح أنها لا تشكل المعنى الفلاني مثلاً، فمن خلال نفي هذه المعاني يتضح المعنى المراد، مثل ما تقوم بتشذيب قطعة الخشب من القشور بحيث لا يبقى سوى الخشب الصافي.

اختيار وتركيب الجمل

إن ترتيب الكلمات يشكل الجمل، بحيث تكون الجملة هي اللبنة الأولى في تكوين المستند. لا يوجد تعريف جامع لعبارة "جملة" ولكن المتفق عليه هو أنها تنتهي بنقطة معلنة بذلك اكتمال المعنى الذي تحتويه الكلمات التي تسبق النقطة. إن ترتيب الجمل يشكل الفقرات ويجمع العديد من الخبراء على ضرورة صياغة جمل قصيرة وعلى التنوع بين الطول والقصر.

في كتاب (Building Great Sentence: Exploring the Writers Craft) يتناول بروفيسور بروكس لاندون مهارة تركيب الجمل لتكون فاعلة في نقل المعنى (Landon، 2008). وعلى الرغم من أن الكتاب يعنى باستخدام استراتيجيات تركيب الجملة ضمن إطار اللغة الإنجليزية فان الكاتب العربي سيجد فائدة عظيمة منه لأن بعض هذه الاستراتيجيات يمكن تطبيقها على اللغة العربية إذا أحسنا فهمها.

إن الأخذ باستراتيجيات في الكتابة من لغات أجنبية ليس مسألة مستحدثة أو جديدة على اللغة العربية فعلى سبيل المثال فإن استخدام علامات الترقيم نفسها جاء من لغات أجنبية، حيث إن العرب قديماً لم تكن تعرف الفاصلة المنقوطة أو الفاصلة العادية أو النقطتين، ولكنها وفدت من لغات وثقافات أجنبية. وفي نفس الوقت فقد اقتبست العديد من اللغات الأجنبية من اللغة العربية الكثير بسبب التفاعل بين اللغات والحضارات الذي يجعلها تتأثر وتؤثر في بعضها البعض: فالحكمة ضالة المؤمن أينما وجدها فهو الأولى بها.

يعرف لاندون الجملة التراكمية (cumulative sentence) بأنها الجملة التي تتكون من:

(أ) العبارة الأساسية (base clause): وهي الجزء من الجملة الذي يحتوي على فعل وفاعل ومفعول به و

(ب) بند أو بنود التعديلات الحرة (free modifying phrases): وهي الجزء من الجمل الذي يحتوي تعديلات تطال العبارة الأساسية بصورة ما.

دعنا ننظر مثلا لجملة: ((سافر الطالب الى بلده، تاركاً وراءه أصدقاء الدراسة)). وعليه فان فقرة "سافر الطالب الى بلده" تمثل العبارة الأساسية لأنها تحتوي على فعل وفاعل ومفعول به وهي تصلح أن تكون جملة كاملة مستقلة. أما فقرة "تاركاً وراءه أصدقاء الطفولة" فهي تشكل بند التعديلات لأنها أضافت تعديلاً للفقرة الأولى بأن أضافت اليها معلومات جديدة توضح الطريقة التي سافر بها الطالب. ويمكن أن تحتوي الجملة التراكمية على أكثر من بند تعديلات واحد كما في المثال التالي: ((سافر الطالب الى بلده، تاركاً وراءه أصدقاء الدراسة وميمماً شطر أصدقاء الطفولة)). فهنا أضفنا بند تعديلات ثانٍ وهي "وميمماً شطر أصدقاء الطفولة". وعليه ووفقا للاندون فإن صياغة الجمل التراكمية يتيح للكاتب الفرصة في إضافة معلومات إضافية تقوي من تأثير الجملة وعمقها وفعاليتها.

ويقسم لاندون بنود التعديلات الى قسمين: (أ) بنود تعديلات تنسيقية و (ب) بنود تعديلات تابعة.

(أ) **بنود التعديلات التنسيقية (coordinate modifying phrases):**
تقوم "بنود التعديلات التنسيقية" بعمل تعديلات على العبارات، ولكن هذه التعديلات جميعها تستهدف العبارة الأساسية بأكملها، أو تعدل أحد مكوناتها الأساسية مثل الفعل أو الفاعل أو المفعول به، ففي المثال السابق فان بند "تاركاً وراءه أصدقاء الطفولة" جاء بتعديل على الفاعل وهو الطالب فبين كيف سافر الطالب ثم جاء بند "ميمماً شطر أصدقاء الطفولة" بتعديل مماثل وعليه فان هذين البندين يندرجان تحت مسمى التعديلات التنسيقية لأنهما عدلا في الفقرة الأساسية.

فوائد بنود التعديلات التنسيقية: من فوائد بنود التعديلات التنسيقية اتاحتها الفرصة "التنغيم" الجمل من خلال إضافة الإيقاع والتكرار المدروس سواء للكلمات أو لنوع التراكيب. فمثلا كلمتي "تاركاً" و "ميمماً" تشتركان في الإيقاع بسبب انتهائهما بالتنوين بالفتحة وهو إيقاع تحبه الأذن لما فيه من موسيقى.

(ب) **بنود التعديلات التابعة (subordinate modifying phrases):**
تقوم "بنود التعديلات التابعة" بتعديل العبارات التي سبقتها مباشرة. لنأخذ مثالا حتى يتضح المعنى: ((شرب حسن العصير بتلذذ، وهو عصير أعدته والدته في الصباح، بعد أن قطفت عدة ثمرات من شجرة الليمون، الشجرة التي زرعها زوجها في يوم زفافهما)). ففي هذا المثال فان عبارة " شرب حسن العصير بتلذذ" هي العبارة الأساسية للجملة لأنها تحتوي على الفعل والفاعل والمفعول به. أما العبارات التالية وهي " وهو عصير أعدته والدته في الصباح" فقد عدلت ما يسبقها مباشرة وهو العصير وهي هنا قد تكون بنود تعديلات تنسيقية لأنها عدلت العصير وهو المفعول به ويمكن أيضا أن نسميها بنود تعديلات تابعة لأنها عدلت ما قبلها مباشرة. أما العبارات التي تليها وهي " بعد أن قطفت عدة ثمار من شجرة الليمون" فهي تعدل في العبارات السابقة مباشرة بأن شرحت مصدر العصير وهو شجرة الليمون. أما العبارات الأخيرة وهي " الشجرة التي زرعها زوجها في يوم زفافهما" فهي تعدل العبارات التي سبقتها مباشرة لأنها تضيف معلومات عن شجرة الليمون.

ميزات بنود التعديلات التابعة: من فوائد بنود التعديلات التابعة أنها تتيح للكاتب الفرصة لإضافة التفاصيل التي تثري المعنى وتضيف عمقا للجملة وتبعث فيها الحركة والحيوية.

وعليه نخلص إلى أن وجود بند تعديلات واحد بعد العبارة الأساسية لا يكفي لمعرفة نوع هذا البند من التعديلات، وما إذا كان من بنود التعديلات التنسيقية أم من بنود التعديلات التابعة، وإنما نحتاج لأكثر من بند تعديلات في الجملة الواحدة لتحديد نوع هذه البنود. ويضيف لاندون نوعا ثالثاً وهو "بنود التعديلات المختلطة".

(ت) **بنود التعديلات المختلطة (mixed modifying phrases):**
وهي بنود تعديلات تجمع بين النوعين فهي جملة تراكمية تحتوي على عبارة أساسية بالإضافة لعدد من بنود التعديلات التنسيقية والتابعة في نفس الجملة التراكمية الواحدة.

وعليه يخلص لاندون الى أن صياغة الجمل التراكمية التي تحتوي على العبارة الأساسية وبنود التعديلات المناسبة يتيح للكاتب التحكم في صنع جمل رصينة غنية بالمعنى. فمن خلال ميزات بنود التعديلات التنسيقية يمكن للكاتب إضافة الإيقاع

الموسيقي للكلمات من خلال التكرار المدروس. أما ميزات بنود التعديلات التنسيقية فتتيح للكاتب الفرصة لوضع التفاصيل التي توضح المعنى وتصقله وتزيد من ألقه وقوته.

وعلى الرغم من أن المسرح الذي تعمل عليه الاستراتيجيات التي وضعها بروفيسور لاندون هو اللغة الإنجليزية، فإن هذه الاستراتيجيات تصلح أن تعمل في مسرح اللغة العربية إذا أُحسن الكاتب العربي فهمها، لأن هذه الاستراتيجيات تصنع القوالب العامة لتركيب الجمل. ويمكن للكاتب العربي تشكيل هذه القوالب حسب حاجته وذوقه في اختيار المحتوى الذي يضعه في هذا القوالب.

اختيار وتركيب الفقرات

الفقرة هنا نقصد بها مجموعة الجمل التي تشكل وحدة متسقة يطلق عليها عبارة "فقرة". ويجمع العديد من الخبراء على أن الكتابة القانونية تكتسب قوةً ووضوحاً إذا بدأت الفقرة بجملة ابتدائية تطرح فيها دفعاً واحداً أو ادعاءً واحداً ليكون ذلك هو مركز الفقرة (Garner، 2013، صفحة 81) . ثم تكون جميع الجمل التالية في هذه الفقرة تدعم هذا الادعاء أو الدفع من خلال تقديم أمثلة، أو أدلة، أو شرح إضافي للدفع، أو الادعاء.

ولا يجوز أن تضيف فكرة جديدة في نفس الفقرة وانما يجب أن تحتوي الفقرة على فكرة واحدة. إذا أردت الاتيان بفكرة جديدة فعليك بقسمة الفقرة الى فقرتين.

ان هذا التقسيم المبسط سيسهل على القارئ متابعة أفكارك ومن ثم تصبح كتابتك أكثر وضوحا وان كان الموضوع الذي تتناوله يشوبه التعقيد لأنك بذلك تقسمه لنقاط أصغر يسهل هضمها.

الخلاصة

في مرحلة الصياغة قمت بتنفيذ الخطة التي رسمتاها في مرحلتي التخطيط والبحث. لقد قمت بتنفيذ المخطط الذي وضعته للمستند مسلحا بقواعد الصياغة السليمة وقواعد النحو والصرف. لقد تعرفت على الأخطاء الشائعة في النحو والصرف وأصبح لديك القدرة على ضبط صياغتك في هذه النواحي.

لقد أوليت اهتماما لشكل المستند بنفس القدر الذي أوليته لموضوعه بحيث جعلت عملية القراءة سهلة على عين القارئ وذهنه. لقد اهتممت بالتفاصيل وجعلت جملك تحمل صورا حية لذهن القارئ وتوصله للمعنى الذي تريده مستخدماً استراتيجيات مجربة وفعالة.

في مرحلة الصياغة تقوم بلب عملية الكتابة القانونية بحيث تقوم بتركيب الكلمات التي تشكل الجمل ثم تقوم بترتيب الجمل التي تشكل الفقرات وتقوم بترتيب الفقرات التي تشكل المستند. لقد تعرفت على أساليب تجعل المستند القانوني الذي تصيغه أكثر احكاماً واقناعاً وتأثيراً.

أنت الآن جاهز للمرحلة القادمة ومستعد لعادة المراجعة بحيث تراجع عملك لكي تصل به الى درجة الاتقان.

تمرين المهارة الثالثة

مهارة الكتابة

في هذه المهارة تعلمت الاهتمام بالشكل والموضوع عند صياغة أي مستند كما تعلمت أهمية مراعاة قواعد النحو والصرف. اختر أحد الملفات التي تعمل عليها وقم بطباعة هذه القائمة ومقارنتها مع المستند الذي تعمل عليه.

أ- المستند من حيث الشكل

1. هل قمت بترقيم فقرات المستند بحيث يمكنك الاشارة لفقرات المستند بسهولة.

2. هل تركت مساحات بيضاء بين الفقرات لتساعد عين القارئ على القراءة؟

3. هل استخدمت نوع واحد الخط في جميع صفحات المستند؟

4. هل استخدمت القياس المناسب للخط (14 أو 16)؟

5. هل استخدمت نوع الخط المناسب (Times new Roman)؟

ب- المستند من حيث الموضوع:

1. هل استخدمت أقل عدد ممكن من الكلمات لنقل أفكارك؟

2. هل راعيت الاستخدام الصحيح لعلامات الترقيم التالية:
   - الفاصلة المنقوطة (؛)
   - الفاصلة (،)
   - النقطة (.)
   - النقطتين (:)
   - النقاط الثلاث (... الخ)
   - علامة الاستفهام (؟)
   - علامة التعجب (!)
   - القوسين (....)

3. هل استخدمت عناوين فرعية معبرة لتوجيه القارئ أثناء قراءته للمستند؟

4. هل راعيت الاستخدام الصحيح لأحكام النحو والصرف وتجنبت الأخطاء الشائعة المتعلقة بالأحكام التالية:
   - أحكام الفعل المعتل
   - الأسماء الخمسة
   - الأسماء الممنوعة من الصرف
   - أحكام العدد
   - همزة الوصل وهمزة القطع
   - اعراب المثنى
   - أحكام كان وأخواتها
   - أحكام إنَّ وأخواتها

5. هل قمت بإضافة عبارات تحمل صوراً حيه بحيث تجعل المستند ينقل معاني حسية في ذهن القارئ؟

6. هل تحمل الكلمات التي اخترتها في المستند جرساً موسيقياً ترتاح له أذن القارئ؟

7. هل تناولت الجانب الآخر من الموضوع (الحجج المناهضة/ الرأي المعاكس /حجج الخصم)؟
8. إذا كان ذلك منطبقاً، فهل تناولت حجج الخصم في منتصف الفقرة وأشرت اليها بصورة مقتضبة ثم قمت بتفنيدها؟
9. هل صممت دفوعك وحججك وفقا لتصميم جارنر:

10. هل جربت استخدام طريقة لاندون في تركيب الجمل التراكمية (المكونة من عبارة أساسية وبنود تعديلات فرعية)؟

11. هل صغت الفقرات بحيث تشمل كل فقرة فكرة واحدة؟

12. هل تحمل الفقرة جملة أساسية افتتاحية تتبعها جمل تشرحها أو تعطي لها أمثلة أو تقيدها؟

المهارة الرابعة: المراجعة والتدقيق

"الكتابة بذهن مشتت، تشبه النوم أثناء السباحة، كلاهما يؤدي إلى الغرق."

محمد حسن علوان

مقدمة

في المهارة السابقة تحدثت معك عن عادة الصياغة والكتابة وقد أحسنت صنعاً في صياغة مستندك سواء أكان ذلك المستند هو صحيفة دعوى تقدمها للمحكمة أو استشارة قانونية طلبها موكلك أو مقال قانوني ستنشره في صفحتك أو في مجلة قانونية في مدينتك. ولكن قبل تقديم مستندك الى القارئ يجب عليك القيام بأعمال لا يقل في حجمها أو أهميتها عن الأعمال التي قمت بها في مرحلة الصياغة: إنها أعمال المراجعة. في تناولنا لهذه المهارة ستتعرف على استراتيجيات مراجعة المستند لكي يحقق الغرض الذي أعد من أجله.

ولكن مرحلة المراجعة لا تعني التدقيق اللغوي للكلمات والجمل فقط، وإنما يشمل أيضاً مراجعة هيكل المستند وتركيبة، وهي الأعمال التي ستقوم بها متقمصاً شخصية المتلقي للمستند. في هذه المرحلة أنت تتقمص شخصية الناقد الذي يقرأ المستند بحيث تتخيل أنك تسلمته من شخص أجنبي لكي تحصل على الموضوعية المطلوبة.

من الأفضل ألا تبدأ عملية المراجعة إلا بعد فاصل زمني مناسب ليكون ذلك بمثابة استراحة عقلية تفصلك عن المسودة الأولى، لكي تستطيع أن تنظر إليها نظرة مستقلة. السبب هو أنه بسبب عملك المتواصل في صياغة المستند فقد أصبحت قريباً بصورة كبيرة من الموضوع، وذلك قد يشكل عائقاً في رؤية أي أخطاء جوهرية في تركيبة المستند الذي صغته. أحد الأساليب التي أستخدمها لكي أفصل

نفسي عن مرحلة الصياغة بحيث أنتقل الى مرحلة المراجعة هو أنني ألبس قبعة أحتفظ بها في مكتبي خصيصاً لهذا الغرض وأسميها "قبعة المراجعة". إن هذا التغيير الرمزي يعمل كمحفز نفسي ويرسل رسالة للعقل الباطن بتبني استراتيجية جديدة عند القيام بعملية المراجعة (Canavor, 2017, p. 112).

عندما تعيش في ذهنية المتلقي للمستند ستتعرف على أوجه القصور وأماكن العلل بصورة تجعلك تعمل على تحسينها وتعديلها، وهنا تكمن أهمية هذه الوضعية التي تجعلك ناقداً لعملك لأن في كل الأحوال سيكون هناك ناقد للعمل الذي تقدمه فلماذا لا يكون أول شخص يقوم بذلك هو أنت؟

سنقوم بتقسيم عملية المراجعة والتدقيق الى مرحلتين هما:

(أ) **الأولى**: مرحلة مراجعة هيكل وقالب للمستند بغرض التأكد من مطابقته للهدف من المستند وبغرض التأكد من احتوائه على العناصر الأساسية للمستند.

(ب) **الثانية**: مرحلة مراجعة التدقيق اللغوي والتفاصيل عن طريق التدقيق في صحة قواعد اللغة ومراجعة الأخطاء الاملائية وتصحيحها ومراجعة الحقائق والوقائع وذلك بغرض زيادة مصداقية المستند ودقته.

أولا: مرحلة مراجعة هيكل المستند

مراجعة الخطة مع المسودة

في البداية عليك مراجعة المسودة التي صغتها مع الخطة التي رسمتها في المرحلة الأولى من الكتابة في أثناء ممارستك لعادة البحث والتحليل. قم بطباعة نسخة من المسودة للعمل عليها في مرحلة المراجعة ولتسجيل ملاحظاتك عليها في هامش المستند. عليك بطرح هذه الأسئلة على نفسك:

- هل قمت بتغطية جميع المسائل الواردة في الخطة؟
- هل تتناسب نغمة المستند مع توقعات المتلقي؟
- هل نقلت القارئ من نقطة البداية إلى نقطة النهاية في تسلسل منطقي بحيث تكون نقطة (أ) تسبق نقطة (ب) ونقطة (ج) تلي نقطة (ب)؟
- هل قمت بقراءة المسودة بصوت عال لنفسك لكي تسمع وقع الكلمات؟ ماذا وجدت؟
- ما هي الكلمات التي يمكنك حذفها بدون أن تؤثر على المعنى المراد؟ قم بحذفها فوراً.
- ما هي التفاصيل التي يمكن الاستغناء عنها لكي تزيد من سرعة قراءة المستند وحيويته؟
- ما هي المسائل التي قد تحمل أكثر من تفسير؟ قم بإعادة صياغتها لكي تحمل التفسير الذي تريده (وتنفي التفسير الذي لا تريده).
- ما هي المسائل التي يمكن أن تزيد من وضوحها أو فعاليتها من خلال إضافة صور لفظية أو جداول أو رسومات؟

إن الإجابة على هذه الأسئلة من شأنها أن تقودك إلى تغييرات في هيكل المستند. وعليك بتدوين جميع الملاحظات التي تخطر ببالك أثناء عملية المراجعة. في خلال عملي وجدت أن هذه الخطوة تجنبني العديد من العنت والجهد لاحقاً لأنني إذا قمت بحذف جزء من المستند في هذه المرحلة فسيوفر ذلك على عناء تدقيق هذا الجزء وسأستغنى عن أي عمل إضافي فيه. وفي نفس الوقت فان هذه المرحلة تضمن أنني لم أغفل عن مسألة جوهرية فاتت عليّ عندما كنت منهمكا بأعمال الصياغة، كما قد أرى الترابط بين بعض مكونات المستند أو التقاطعات المهمة

مما يسهل عليّ إعادة تشكيلها أو تجميعها في مكان واحد أو تقسيمها بين عدة أماكن داخل المستند. هنا تكمن الفائدة الكبرى من مراجعة هيكل المستند لأنها تجعلك ترى الغابة والأشجار في نفس الوقت.

القراءة بصوتٍ عالٍ

يقول العديد من الخبراء أن الأذن تعتبر من أهم الأدوات في ضبط الكتابة لأنها تتعرف على وقع الكلمات، لذلك عليك أن تقوم بقراءة النص بعد أن تكون قد انتهيت من أعمال المراجعة لتتعرف على وقع هذه التعديلات التي قمت بها، ربما قد تحتاج لعمل تعديلات إضافية حتى تستقيم أطراف المستند. إن وقع الكلمات ونغمتها سيدلك على المواقع التي فيها نقص أو تكرار، ولذلك من المهم ألا تهمل هذه العملية. يطلب لاندون من طلابه قراءة القطعة التي يقومون بصياغتها بصوت عال بحيث يقوم الطالب بتلك العملية في أثناء مراجعته للقطعة قبل أن يقوم بقراءتها أمام بقية الطلاب في الصف (Landon، 2008). ويقول لاندون أنه يعرف ما إذا كان الطالب قد قام باتباع نصيحته بقراءة القطعة لنفسه بصوت عال مسبقاً أم لا، لأن ذلك يظهر من خلال إدراك الطالب للخلل في كتابته لأول مرة عندما يقرأ القطعة أمام زملائه. أعتقد أن هذه الفكرة تصلح للكتابة باللغة العربية أيضا وليست حصراً على الكتابات الإنجليزية.

الحصول على تغذية راجعة عن المسودة

بعد أن قمت بعمل التعديلات اللازمة حان الوقت لعرض المستند على شخص له نظرة محايدة عن الموضوع أو لم يكون أي فكرة مسبقة عنه بقدر الامكان. اختر شخصاً أو عدة أشخاص (بحسب تعقيد المستند وأهميته) وأعطهم نسخة من المستند لقراءته وتقديم ملاحظاتهم عليه.[14] من الأفضل أن يكون هذا الشخص أو الأشخاص غير مرتبط بموضوع المستند لكي تحصل على رأي موضوعي ومحايد. مثلا إذا كنت في مكتب محاماة يمكنك أن تعرض المستند على زميل يعمل في قسم آخر في المكتب لكي يعطيك رأيه في المستند. من فوائد هذا الخيار أن الزميل الذي يعمل معك في نفس المكتب سيحافظ على سرية المستند وأسرار العميل، لأنه سيكون ملزماً بنفس قواعد السرية المفروضة عليك. إذا كان الشخص الذي

[14] For more details see (Rylance, 2012, p. 182) and (Garner, 2013, p. 161.)

ستعرض عليه المستند ليس محاميا في مكتبك فعليك مراعاة واجبات السرية، ويمكن عمل تعديلات بتغطية التفاصيل إذا كان ذلك كفيلا بالمحافظة على سرية معلومات العميل. أما إذا كان المستند عبارة عن مقال قانوني فإن الحرية تتسع أمامك لكي تختار من تشاء لعرض المستند عليه.

عليك بتحديد موعد زمني للحصول على التغذية الراجعة بالتشاور مع الشخص الذي سيقوم بمراجعة المستند، مع توجيهه للنواحي التي تريده أن يعطيك الرأي فيها لكي يركز عليها في رده.

بعد الحصول على الملاحظات عليك بوزنها والتقرير بشأنها؛ وهنا ليس عليك قبول جميع الملاحظات، ولكن يجوز أن تأخذ منها أو ترد منها ما تشاء وذلك وفقا للأهداف التي تسعى اليها من الكتابة. في النهاية عليك الاستماع لصوت حدسك الداخلي.

تنفيذ خطة المراجعة

بعد أن أكملت أعمال المراجعة عليك البدء في عمل التعديلات بحيث تبدأ بالتعديلات الجوهرية المتعلقة بالهيكل أولاً، مثل إضافة فقرات أو حذف بعضها، قبل أن تقوم بعمل التفصيلات الصغيرة، لأن ذلك يوفر عليك الوقت فقد تكون التفصيلات الصغيرة في فقرة ستقوم بحذفها بالكامل. يجب أن تتبع هذا التسلسل في المراجعة للحصول على الفعالية اللازمة ولكي توفر الوقت والجهد.

بعد أن تنتهي من التعديلات الجوهرية ومن حذف الأجزاء التي لا تخدم الغرض من المستند عليك العمل بعدها على التعديلات الصغيرة التي توصلت إليها من عملية المراجعة. إذا مررت بأخطاء نحوية ظاهرة فلا تتردد في تصحيحها، ولكن لا تجعل ذلك الهدف الأساس لأنه قد يكون سبباً في مضيعة للوقت في هذه المرحلة إذا أصبحت تصرفك عن التركيز.

من المهم الانتباه الى أن مرحلة المراجعة تحتوي على قدر واسع من المرونة بسبب طبيعتها الخاصة، وبسبب عدم وجود أسلوب واحد يصلح لجميع أنواع المستندات. ففي حالة المستندات البسيطة لا بأس من دمجها مع مرحلة التدقيق أو تطبيقها بشكل مبسط اختصاراً للوقت والجهد، وكل ذلك يستدعي قدراً من التبصر والموازنة بين

الأولويات. ان الموازنة بين الأولويات يكون بمثابة القلب بين المهارات التي يجب أن يتمتع بها المحامي، حيث يندر وجود عمل قانوني لا يتطلب قدراً ما من المفاضلة بين أمرين أو أكثر، بل إن القانون نفسه ما هو إلا عبارة عن موازنة بين مصالح مختلفة متعلقة بالأطراف التي يسري عليها القانون.

ثانيا: التدقيق والمراجعة الفنية للتفاصيل

إن عمل لكاتب في هذه المرحلة يشبه عمل المحقق فهو يبحث عن الأخطاء والقصور بغرض تصحيحها. لقد قمت بمراجعة هيكلية للمستند وقمت بمراجعته بشكل ينسجم مع المنطق واستمعت لرأي أشخاص تثق في رأيهم وقمت بتعديلات في المستند على ضوء أعمال المراجعة التي قمت بها. أنت تقترب من المراحل النهائية للكتابة. في هذه المرحلة تقوم بالعودة للمرحلة المدرسية لتسترجع قواعد الإملاء والنحو والصرف. لقد سبق أن تطرقنا للأخطاء الشائعة في النحو والصرف وكيف يمكن التعامل معها.

مراجعة الخط والتنسيق

عليك بمراجعة حجم ونوع الخط للتأكد من التناسق في جميع أجزاء المستند، كما ذكرت سابقاً فإنني أفضل تايمس نيو رومان بالنسبة للغتين العربية والإنجليزية مع اختلاف حجم الخط، حيث أكتفي بخط قياس 12 في اللغة الإنجليزية، ولكن تطبيق هذا القياس على اللغة العربية غير مناسب لأن الخط يبدو صغيراً جداً ولذلك استخدم 14 او 16 بالنسبة للغة العربية. قد تؤدي عمليات المراجعة الى تعديلات في الخط والتنسيق لذلك يجب الانتباه للتناسق في جميع أنحاء المستند.

مراجعة الترقيم وترتيب الفقرات

عليك بمراجعة ترقيم وترتيب الفقرات والتأكد من أن صفحات المستند نفسها مرقمة. للتبسيط فأنا أستخدم الأرقام الإنجليزية مثل 1 و2 و3 ولا استخدم الأرقام التي نطلق عليها أرقام عربية والسبب هو تفادي إشكاليات الفاصلة، فمثلا إذا رغبت أن أكتب ستة ونص فان ذلك مسألة سهلة وتكون كالتالي 6.5 ولكن إذا كنت أستخدم الأرقام العربية فإن الفاصلة العشرية هي الصفر نفسه وسيكون الرقم مثل 605. تستخدم دول المغرب العربي بشمال أفريقيا الأرقام الإنجليزية وهو اختيار موفق.

قد تحتاج نقل مكان بعض الفقرات أو إعادة دمجها مع فقرات أخرى. إذا قمت بإضافة أو حذف فقرات فقد يؤثر ذلك على الترقيم ولذلك عليك الانتباه للتأكد من تناسق الترقيم مع جميع أجزاء المستند وعدم وجود تضارب أو تنافر في الترقيم.

مراجعة الأسماء والتواريخ والمبالغ

إذا أرسلت رسالة لشخص ما فإن أول ما سيلاحظه هذا الشخص هو كيف تكتب اسمه. إذا أخطأت في كتابة اسم الشخص المتلقي للرسالة فإن ذلك يبعث في نفسه مشاعر غير طيبة تجاهك وتجاه المستند الذي كتبته. لذلك عليك بمراجعة الأسماء والتواريخ وتفاصيل الأرقام خاصة إذا كانت مبالغ مالية. ان كتابة المبالغ المالية بالأحرف والأرقام مسألة منتشرة، ولكن قد يحدث تباين بين المبلغ المكتوب بالأرقام وبين المكتوب بالأحرف لذلك يرى البعض أن ذلك لم يحل المشكلة وانما زاد احتمالية الخطأ. ان أخطاء مثل 60,000 (ستة آلاف) تظهر في العديد من المستندات (هل لاحظت الخطأ المتمثل في الاختلاف بين الرقم بالأحرف والأرقام؟). يثور جدل كبير بين الكتاب حول ضرورة كتابة المبالغ المالية بالحروف والأرقام معا فهناك من يفضل الجمع بينهما وهو الشائع، ولكن هناك رأي آخر يقول بضرورة الاكتفاء بالأرقام فقط لأن التكرار مدعاة للخطأ، وأنا أرجح هذا الرأي الأخير.

مراجعة المستندات والأدلة

عليك بمراجعة قوائم الأدلة والمستندات والمراجع التي تعتمد عليها في مذكرتك. فاذا كان المستند الذي تعمل عليه هو مذكرة للمحكمة فان ذلك يعني مراجعة قائمة الأدلة (أو ما يسمى بحافظة المستندات) للتأكد من اكتمالها وتناسقها مع بعضها البعض. من المهم أن تكون الأدلة مرقمة لكي يسهل الإشارة اليها بصورة محددة وهنا عليك التأكد من توافق الترقيم بين متن المستند وحافظة المستندات لكيلا يحدث تضارب عند الرجوع للمستند. يجب أن تكون المستندات واضحة ومنسقة ومقسمة بفواصل تسهل على القاضي الرجوع اليها بسهولة. إذا كانت المستندات تحوي ترجمة فعليك بوضع الترجمة قبل المستند الأصلي مباشرة. يجب أن تسبق المستندات كشف بأسماء هذه المستندات وذلك وفقا للمثال التالي:

حافظة مستندات المدعية

رقم	اسم المستند	دلالته في الاثبات
1	مستند رقم 5 – فاتورة البضاعة التي سملتها المدعية	مديونية شركة المدينة المدعى عليها بمبلغ 5 ألف ريال
2	مستند رقم 6 – إيصال استلام الشركة المدعى عليها للبضاعة	فشل المدعى عليها في سداد مبلغ المديونية وهي 5 ألف ريال

إذا كنت تعتمد على مراجع أو نصوص في القانون فينصح بمساعدة القاضي في الوصول إليها من خلال نسخ صور من صفحات المرجع أو القانون (ليس من الضرورة القيام بنسخ جميع الصفحات وإنما الصفحات التي تعتمد عليها فقط، مع إضافة الغلاف لكي تتضح الصورة للقاضي). إذا كانت الأدلة عبارة عن صور فنية فلا بأس من إضافة تعليق توضيحي على هذه الصورة (ولكن من الضروري أن يشير التوضيح إلى أنك مصدر هذا الشرح).

عليك التأكد أن المذكرة تحتوي على ملخص يمهد للقارئ ما ستعرضه المذكرة، ويجب أن يكون الملخص في الصفحة الأولى من المذكرة ما أمكن.

مراجعة الأخطاء الإملائية والنحوية:

معظم أنظمة ميكروسوفت وورد مزودة بخاصية التدقيق الاملائي والنحوي وهي مفيدة للغاية (Rylance، Writing and drfating in legal practice، 2012، صفحة 179). ولكن الاعتماد عليها كلية هو أمر محفوف بالمخاطر، لأنها لن تنبهك في حال كانت الكلمة صحيحة من الناحية الاملائية، ولكنها ليست الكلمة التي قصدتها. فمثلا إذا كتب عبارة "اللكمة" بدلا من "الكلمة" فان نظام ميكروسوفت وورد لن ينبهك إلى أن اللكم والضرب ليست من وسائل الكتابة. لذلك فإن التدقيق اليدوي لا مفر منه. يمكنك استخدام معظم الأساليب الموضحة في

المهارة السابقة مع اختلاف المقصد، فهنا أنت تبحث عن الأخطاء الاملائية والنحوية ولا تركز على هيكل المستند. (انظر الى المثال التالي).

المراجعة من قبل المحترفين

إذا كان المستند الذي تعمل عليه مقالاً سينشر في مجلة معروفة أو إذا كنت ترى في المستند الذي تعمل عليه أهمية خاصة فلا بأس من الاستعانة بمدقق لغوي محترف للقيام بعمليات المراجعة. قد يكون هذا الشخص جارك مدرس اللغة العربية أو مكتب تدقيق أو شخص تأنس فيه الكفاءة اللازمة للقيام بمراجعة المستند. إذا كانت الأتعاب التي ستدفعها ستشكل إشكالية فيمكن أن تعمل مع زميل أو صديق بحيث تتبادلان الأدوار فتقوم بمراجعة كتاباته ويقوم هو بدوره بمراجعة كتاباتك، وبذلك فلا تضطر لتكبد مصروفات إضافية في التدقيق (Canavor, 2017, p. 114).

المراجعة باستخدام التقنية

الوسائل التقنية الحديثة في الكتابة في تطور مستمر، ولعل البرامج التي سأذكرها في هذا المجال تكون قد أصبحت متأخرة في تاريخ طباعة هذا الكتاب. وعلى وجه العموم فإن البرامج المصممة لمراجعة الكتابة باللغة الإنجليزية متوفرة بصورة أكبر من البرامج المصممة للغة العربية بسبب الانتشار الكبير للغة الانجليزية في العالم. بالنسبة للكتابة باللغة الإنجليزية فان برنامج (Grammarly) يعتبر من البرامج الرائدة في المراجعة والتدقيق في الوقت الذي طبع فيه هذا الكتاب. فيما يلي بعض أهم المواقع المجانية للتدقيق والمراجعة:

- Polish writing
  /https://www.polishmywriting.com
- Reverso
  https://www.reverso.net/spell-checker/english-spelling-/grammar
- Online correction
  /https://www.onlinecorrection.com
- Grammarly
  https://app.grammarly.com/

عمل قائمة مراجعة (Checklist)

تعتبر قوائم المراجعة وسيلة فعلة لرفع مستوى الجودة والاتقان، لأنها تعمل على تذكريك بالبنود التي عليك القيام بها لكيلا تنسى القيام بأحدها في خضم الانشغال بإنجاز العمل. حاول أن تجعل عملية اعداد قوائم المراجعة من العادات التي تقوم بها بصورة روتينية في جميع المسائل الحرجة التي تحب أن ترى فيها الدقة والاتقان (وهو ما ينطبق على معظم الأعمال القانونية التي تنوي تسليمها لطرف آخر).

في هذا المجال يمكنك الاستعانة بتمرين المراجعة الملحق بهذا الباب لعمل قائمة المراجعة الخاصة بك. قم بطباعة التمرين والاحتفاظ بنسخة منه في مكان قريب

في مكتبك أو تعليق نسخة على لوحة التذكير في مكتبك بحيث تكون تحت بصرك وفي متناول يدك كلما احتجت اليها. بمرور الوقت ستصبح عادةً حميدةً تقوم بها بدون جهد أو تفكير، ولكنها سترفع درجة الاتقان في أعمالك لمستوى الامتياز. ستصبح أعمالك أكثر احترافية وستقل الأخطاء التي تنتج عن السهو أو عدم التركيز بصورة كبيرة.

التكرار

عليك بتكرار خطوات عادة المراجعة والتدقيق عدة مرات حتى تصل لمرحلة من الرضاء عن المستند قبل تسليمه. إن عدد مرات المراجعة والتدقيق يعتمد على طبيعة المستند والفترة الزمنية المتاحة لتسليمه. وكلما زادت مرات المراجعة والتدقيق زادت جودة المستند وكلما تعرفت على طرق جديدة لتحسين المستند، فلذلك يجب أن تقاوم الرغبة في التوقف.

ولكن في الجانب الآخر فإن الكمال لله وحده، ولا يجب أن يكون إصرارك على الاتقان يوصلك لمرحلة الهوس بحيث يؤثر على الإنتاجية في مجالات أخرى بصورة غير منطقية. لذلك عليك الموازنة بين الاتقان والإنتاجية لتصل الى الفاصل المناسب بينها، وفي كل الأحوال عليك باحترام القيد الزمني وعدم التأخر في تسليم المستند عن موعده المحدد. وإذا طرأت ظروف قد ترى أنك لن تستطيع الوفاء بالوعد الذي قطعته بتسليم المستند في الموعد المحدد، فعليك إخطار الطرف الآخر بأسرع وقت ممكن، ولا تنتظر حتى فوات الموعد لكي تقدم اعتذارك. سيكون لذلك أثر أفضل لدى الطرف المتلقي، وسيكون أكثر تقبلاً إذا أخبرته مقدماً مما لو أخبرته بعد فوات الموعد، لأن الفرصة ستكون متاحة لديه لتعديل جدوله بدلاً من تضييع الوقت منتظراً وصول مستندك.

الخلاصة

في مرحلة مهارة التدقيق أنت تتقمص شخصية المحقق الذي يبحث عن الأخطاء لإصلاحها، وعن النواقص لإكمالها، إنها إحدى مراحل الإتقان الهامة التي تشذب المستند وتنظفه من الأخطاء الإملائية والنحوية. انها مرحلة الصنفرة والصقل

والتلميع. ولكنها أيضا مرحلة مراجعة أجزاء المستند للتأكد من اكتمال قطعه وتناسقها مع بعضها البعض.

عليك بتقسيم عمليات المراجعة لمراحل تبدأ فيها بمراجعة هيكلية المستند لأن ذلك يشكل أساس المستند. ثم بعد ذلك عليك القيام بعمليات التدقيق اللغوي والنحوي ومراجعة التفاصيل الفنية الأخرى. قد يكون من المناسب في بعض الأحيان الاستعانة بمدقق لغوي لمساعدتك في مراجعة المستند.

ان الغرض من المراجعة هو أن تكون الناقد الذي يقوم المستند ويصلح عيوبه قبل تراها أعين القراء وقد يكون من المفيد أن تعد قائمة المراجعة الخاصة بك وتضيف اليها ما يهم ملفاتك وأعمالك وأولوياتك.

لقد أكملت جميع أعمال صياغة ومراجعة وتدقيق المستند وأصبح المستند جاهزاً للخروج للعالم وهذا ما سنتناوله معا في المهارة القادمة وهي مهارة الإخراج.

تمرين المهارة الرابعة

مهارة المراجعة والتدقيق

في هذه المهارة تعلمت مهارة المراجعة والتدقيق. اختر أحد الملفات التي تعمل عليها وقم بطباعة هذه القائمة ومقارنتها مع المستند الذي تعمل عليه.

المرحلة الأولى: تقمص شخصية المحقق بغرض الفصل بين ذهنية الكاتب وذهنية المراجع؟

1. ما هو الأسلوب الذي اخترته ليذكرك بالانتقال من مرحلة الصياغة الى مرحلة المراجعة؟

2. هل مرت فترة كافية بين تاريخ صياغة المستند وتاريخ قيامك بأعمال المراجعة حتى تكون في حالة ذهنية تتسم بالموضوعية وتمكنك من النظر للمستند بعين جديدة؟
3.
4. هل قمت بطباعة المسودة الأولية بغرض مراجعتها؟

المرحلة الثانية: أعمال المراجعة

1. هل قمت بقراءة المسودة بصوت مسموع لكي تتعرف على مواقع التناغم ومواقع النشاز/ الخلل؟

2. هل قمت بمراجعة الخطة التي أعددتها في مرحلة البحث والتحليل مع المسودة التي صغتها؟ هل قمت بالخروج عن الخطة؟ إذا كان الحال كذلك، ما هي الأسباب؟

3. هل قمت بتغطية جميع العناصر المضمنة في الخطة؟

المرحلة الثالثة: مراجعة التفاصيل

1. هل قمت بمراجعة التفاصيل للتأكد من صحتها (مثل الأسماء/ المبالغ/ التواريخ/الأرقام)؟

2. هل لازال القانون الذي استندت عليه في عملية البحث القانوني هو القانون الساري حاليا؟ هل حدثت أية تعديلات جديدة؟

3. هل هناك قوانين أخرى تتقاطع مع القانون الأساسي الذي يحكم المسودة؟ كيف استفدت من هذه التقاطعات في حال وجودها؟

4. هل قمت بمراجعة المستند للتأكد من خلوه من الأخطاء الاملائية والنحوية؟

5. ما هي الوسيلة الالكترونية التي تستخدمها للمراجعة؟

6. هل تأكدت أن الوسيلة الالكترونية التي استخدمتها لم تغفل عن كلمات صحيحة من ناحية قواعد الاملاء، ولكنها ليست الكلمات المقصودة؟

7. هل قمت بعرض المسودة على صديق أو شخص آخر لكي يعطيك رأيا مستقلا؟

8. هل وضحت لهذا الشخص النواحي التي ترغب أن تحصل فيها على رأيه ومتى تتوقع الحصول على الرد؟

9. هل قمت باستلام ومراجعة الملاحظات التي حصلت عليها؟
10. إذا كنت قد قررت عدم قبول أي من الملاحظات التي حصلت عليها فهل كان هذا القرار مبنيا على أسباب منطقية أم أسباب منبعها العاطفة؟

11. هل قمت بتكرار عمليات المراجعة؟

المهارة الخامسة: الإخراج

(شخصية المخرج السينمائي)

"الكتابة مثل الشعوذة، لا يكفي إخراج الأرنب من القبعة، بل يجب عمل ذلك بأناقةٍ وطريقةٍ ممتعةٍ."

إيزابيل الليندي

مقدمة

في المهارة السابقة أكملنا عمليات التدقيق بغرض معالجة الأخطاء التي قد تكون لحقت بالمستند، ومراجعة أجزاء المستند للتأكد من أنها تحتوي على جميع العناصر اللازمة، بغرض الوصول لمستند مكتمل وخال من الأخطاء اللغوية أو النحوية أو أي أخطاء في المحتوى. عليك الآن بتقمص شخصية المخرج السينمائي لإخراج المستند للجمهور. قد يكون الجمهور هو الموكل، أو القاضي، أو المحكم، أو أي شخص آخر يتلقى المستند. في أثناء تناولنا لهذه المهارة سنتعرف على استراتيجيات الإخراج المختلفة.

أولا: الشكل النهائي للمستند

الشكل النهائي للمستند يرتبط بصور وثيقة بالغرض منه وبالجمهور أو القارئ المتلقي للمستند. فاذا كان المستند عبارة عن مذكرة للمحكمة أو صحيفة دعوى ففي الغالب سيكون عليك إعداد نسخ من المستند بعدد الخصوم، بالإضافة لنسخة المحكمة. عليك العناية بشكل المستند وترتيبه بشكل أنيق واختيار نوعية جيدة الورق للطباعة والتأكد من أن حبر الطابعة في الحدود المناسبة بغرض إخراج طباعة عالية الجودة. حتى وإن كان لديك سكرتير أو سكرتيرة تقوم بهذا العمل، فإن ذلك لا يغني عن المراجعة قبل إرسال المستند، لأن المستند يحمل اسم المحامي

ويعمل كبطاقة تعريف للمحامي. عليك أيضاً التأكد من أن المستند يحمل التوقيع والأختام المناسبة قبل ارساله.

إذا كنت ترسل مستند للعميل أو لأي جهة خارجية، فعليك بعمل رسالة مرفقة تشرح فيها بصورة مختصرة ماهية المستند المرفق مع توضيح أي إجراء تطلب من المتلقي القيام به حيال المستند والموعد الزمني المتوقع لعمل ذلك كلما كان ذلك ممكناً. ان الرسالة المرفقة مع المستند تساعد المتلقي على التجاوب مع محتوى المستند وتنفيذ ما تطلب بصورة أكثر احترافية. عليك بمراجعة المرفقات والتأكد من اكتمالها وتطابقها مع الشكل النهائي للمستند وأنك لم تنس ارفاق أي من المستندات.

حفظ المستندات

تختلف قواعد حفظ المستندات وتخزينها باختلاف نوع المستند والغرض منه. بعض المستندات قد تحكمها قواعد قانون معين، ومثال ذلك المستندات المتعلقة بقوانين غسل الأموال، ففي مثل هذه الحالات قد يفرض القانون الاحتفاظ بالمستندات لمدة قد تصل لعشر سنوات.[15]

إذا كنت تعمل على مستند مع أطراف أخرى فعليك حفظ من المستند في الحاسوب تحت اسم يشير إلى المستند بصورة واضحة، لكي يسهل عليك البحث عنه والوصول إليه، مع الإشارة إلى التاريخ لكي تفرق بين النسخ المتعددة للمستند عند حفظها في الملف المعني. فمثلا إذا كان المستند هو عقد شراء عقار فقد يكون اسم المستند مثلاً: **عقد شراء عقار شركة المدينة – نسخة أيمن 15 مارس 2021.** وعندما تستلم ملاحظات الطرف الآخر يمكن أن يكون اسم المستند الذي تسلمته: **عقد شراء عقار المدينة – تعديلات البائع 17 مارس 2021.**

في الغالب فإن الملف الذي تعمل عليه يتكون من ملف الكتروني في الكمبيوتر وملف ورقي فعلي. فإذا كان الحال كذلك فيجب أن تعمل على إيجاد رابط بين

---

[15] انظر المادة 44 من المرسوم سلطاني رقم ٣٠ / ٢٠١٦ بإصدار قانون مكافحة غسل الأموال وتمويل الإرهاب.

الملف الالكتروني والملف الفعلي، ويجب أن تتبع ترتيباً منطقياً للملفات. في مكاتب المحاماة الكبيرة في الغالب ستجد أن المكتب لديه نظام لإنشاء الملفات وترقيمها ومن الأفضل الالتزام بذلك النظام. في حالة كونك مبتدئ فيمكن البداية بكراسة تسجيل فيها اسم الملفات، مع إضافة أرقام بشكل متسلسل مع السنة، فمثلاً قد يكون اسم الملف ورقمه كالتالي:

م	اسم العميل/ الملف	رقم الملف	مكان الملف
1	شركة المدينة للعقارات	2021/1	الخزانة رقم 1 في المستودع الأرضي
2	أحمد حسن الشيخ	2021/2	الخزانة رقم 1 في المستودع الأرضي

في هذه الحالة من الأفضل أن يحمل الملف الإلكتروني في الكمبيوتر نفس الاسم لكي يسهل الربط بينهما.

تبادل المستندات

عند تبادل المستندات مع محامي الطرف الآخر عليك باختيار الطريقة التي تناسب نوع المستند. فإذا كان المستند عبارة عن رسالة فإن بي دي اف تكون هي الأنسب. أما إذا كان المستند عبارة عن مسودة عقد فإن إرسال المستند في شكل (PDF) بي دي اف قد يبعث رسالة تشير اما الى الكسل أو الغرور، لأن الطرف الآخر يتوقع أن يقوم بعمل مراجعة وتعديلات داخل المستند. وحيث أن صيغة بي دي اف لا تساعد على إدخال التعديلات فإن إرسال المستند بهذه الطريقة سيضطر الطرف المتلقي أما لكتابة التعليقات بخط اليد على هامش المستند، أو في شكل ملاحظات خارج المستند، أو القيام بتحويل المستند إلى صيغة الوورد وكلها أعمال تشكل

مضيعة لوقت الطرفين. لذلك عليك بإرسال مسودة العقد في شكل وورد من البداية، ما لم يوجد سبب مقنع بخلاف ذلك.

قد لا يعرف البعض أن المستندات تحمل بيانات (data meta) تسجل تاريخ المستند والتعديلات التي حدثت في المستند قبل إرساله، بل تسجل أيضاً اسم الكمبيوتر الذي حفظت فيه وكلها بيانات يمكن استخلاصها من المستند بطرق الكترونية. لذلك تتوفر أنظمة الكترونية لتنظيف المستندات من البيانات التي لا ترغب في مشاركتها مع الطرف الآخر ولتنظيفها من الفيروسات قبل إرسالها. عليك ملاحظة أن إرسال المستندات عن طريق البريد الإلكتروني يحمل مخاطر التعرض للاختراق، ولذلك عليك الاستثمار في أنظمة الحماية المناسبة للشبكة وللمراسلات التي تقوم بها لكي تحمي معلومات العميل وتحمي بياناتك. إن التساهل في هذه الأمور قد تكون له عواقب وخيمة على المحامي وعلى المكتب وعلى العميل.

أرشفة المستندات وصناعة النماذج

يجب أن تكون طريقة التنظيم والأرشفة بشكل منطقي يسهل معه الوصول للملفات المطلوبة بأقصى سرعة ممكنة، مع مراعاة حفظ الأشياء المتشابهة في مكان واحد. من الأخطاء الشائعة التي يقع فيها العديد من القانونيين وضع الملفات على سطح المكتب في الحاسوب معتقدين أن ذلك يساعدهم على الوصول ليها بسرعة. ولكن هذه طريقة غير فعالة بسبب أن تراكم الملفات على سطح المكتب سيجعل عملية العثور على الملف الصحيح غاية في الصعوبة، ويزيد من احتمالية الوقوع في الأخطاء وضياع الملفات. لذلك عليك بتكوين ملفات رئيسة تضع داخلها الملفات الفرعية والتي يمكن بدورها تقسيمها لملفات داخلية بطريقة تتفق مع المنطق. عليك بتخصيص ساعات من آخر يوم عمل في الأسبوع لتنظيم ملفاتك وترتيبها وبمرور الزمن ستصبح تلك عادة حميدة يمكن تطبيقها على نواحي أخرى من حياتك المهنية.

إن أرشفة المستندات يساعدك على تطوير النماذج والسوابق التي ترجع إليها في المستقبل في حالات متشابهة، لذلك عليك الاحتفاظ بنسخ من جميع المستندات التي قمت بصياغتها مع البحوث والأعمال التي قمت بها، بسبب أن القواعد القانونية

يغلب عليها الثبات، وفي الغالب سترجع لنفس القواعد مرات عديدة في مجال القانون الذي تمارسه، لذلك يمكنك كسب الوقت والجهد من خلال الرجوع للمستندات السابقة التي صغتها والاستفادة منها في صياغة مستندات جديدة. ولكن هنا يجب الحذر من عمليات النسخ بدون تبصر وتروي، لأن كل مسألة قانونية لها أحكامها، ولذلك عليك مراعاة الاختلافات التي قد تصاحب المسألة الجديدة وتميزها عن سابقاتها.

صناعة نسخ احتياطية: توفر العديد من الأنظمة الالكترونية خدمات الحفظ الالكتروني والأرشفة وقد يكون من المفيد الاستثمار في أحد هذه الأنظمة بحسب حاجة وحجم العمل الذي تقوم به. ومن أبسط الصور هو حفظ المستندات في فلاش خارجي مستقل مع وضع لاصقة عليه توضح محتوياته ليكون ذلك بمثابة نسخة احتياطية ترجع اليه في حالة حدوث عطل في جهاز الحاسوب أو تلفه أو ضياع المستندات لأي سبب كان. ان اغفال هذه العملية قد يؤدي لخسائر كبيرة لا يمكن تداركها بسهولة لذلك من الأفضل أن تشكل جزءا من روتين العمل.

ثانيا: التطوير المستمر

لقد وصلت الى نهاية العادات والمهارات التي تقودك للنجاح وأنت الآن في مرحلة التطوير والتعلم. إذا كنت تمتلك سيارة فأنت تعلم أن عليك أخذ سيارتك للقيام بالصيانة الدورية مثل تغيير الزيت والمصفى، حتى وإن كانت السيارة تعمل بصورة طبيعية، وتسمى هذه العملية بخدمة السيارة، إنها عملية مستمرة لا تنتهي. في كتاب العادات السبعة للناس الأكثر فعالية يسمي ستيفن كوفي هذه المهارة بعادة شحذ الفأس (كوفي، 2018). إنها المهارة التي تعمل على إبقاء نصل سيف كتابتك قاطعاً ولامعاً.

من لا يتجدد يتبدد

بعد التخرج من الجامعة ونيل ترخيص المحاماة ينخرط العديد من المحامين في ممارسة المهنة دون أن يكون لديهم خطط ممنهجة لمواصلة التعلم المهني – بل إن العديد من المحامين لا يعدون ذلك مسألة ضرورية، إن التوقف عن التعلم من أخطر الأمراض التي يمكن أن يصاب بها المحامي، لأن التوقف عن التعلم لن يوقف التطور في المجالات التي يمار فيها عمله، بل سيتوقف المحامي عن اللحاق بركب التطور في المهنة.

فعلى سبيل المثال فان جمعية المحامين بمقاطعة أونتاريو الكندية (كغيرها من جمعيات المحامين في دول شمال أمريكا ومعظم دول نظام القانون العام) تفرض على المحامين المشاركة في دورات مهنية وإرسال تقارير سنوية توضح تفاصيل هذه الدورات. ويجب أيضاً أن تشتمل هذه الدورات على نسبة مقدرة من التدريب في أخلاقيات المهنة، وتخصيص الجزء الباقي لمجال تخصص المحامي. لذلك فان المسؤولية تقع عليك في المقام الأول في مواصلة التطوير والتأهيل – لا يمكن أن توكل هذه المسألة حتى لشركتك أو للمكتب الذي تعمل فيه؛ إنها مسؤوليتك الشخصية.

ولكن لحسن الحظ فإن التقنيات الحديثة والإنترنت قد جعلا المعرفة ليست حكراً على العالم الغربي، وانما أصبحت آفاق المعرفة متاحة للجميع بصورة غير مسبوقة في تاريخ البشرية. نحن الآن في عصر اقتصاد المعرفة، ولكن هذا التطور الهائل

يحمل معه تحديا جديدا هو التنافسية الشديدة بسبب توفر الفرص للجميع. لذلك فإن التطور المستمر بالنسبة للمحامي ليس ترفاً، وإنما هو مسألة مصيرية مثل الفرق بين الحياة والموت.

الكاتب الجيد هو قارئ جيد

لكي تكون كاتبا بارعاً يجب أن تكون قارئاً بارعاً، ليس هناك بديل للقراءة في تحسين الكتابة القانونية. لا تحصر نفسك في الكتب القانونية فقط وإنما يجب أن تشتمل قراءتك مجالات أخرى خارج نطاق القانون. وعليك اختيار الكتاب المجيدين لكي تتعلم من أسلوبهم في الكتابة، ومن طريقة اختيارهم للكلمات وتنسيقها وترتيبها. يجب أن تكون القراءة عادةً يوميةً تستقطع لها نصيباً من دخلك ووقتك. وقد يرد البعض بكثرة الأعمال والانشغال بالتزامات متعددة، ولكن هناك طرق "لحشر" القراءة بين الأعمال التي تقوم بها وإليك بعض الأمثلة التي يمكن أن تختار منها ما يناسب شخصيتك:

- إذا كنت قارئا مبتدئاً فقد يكون من المناسب أن تستخدم أسلوب Bundling أو "الخلطة". أسلوب الخلطة هو أن تخلط شيئاً تحب القيام به مع شيء مهم تريد أن تجعله كعادة مثل دائمة مثل القراءة أو الرياضة. إذا كنت مثلي من مدمني القهوة فيمكنك أن تجعل المقهى المفضل الذي تذهب إليه لتناول قهوتك هو مكان للقراءة، بحيث تدمج متعة القهوة مع القراءة، بمرور الوقت فإن عقلك الباطن سيربط القراءة بالمتعة حتى وإن لم تكن القهوة حاضرة. إنها طريقة فعالة لخلق عادات حميدة.
- لا تغادر البيت بدون كتاب في حقيبتك أو سيارتك. فاذا اضطررت للانتظار في أي مكان أو في حالة تعديل أي موعد سبق لك تحديده فيمكنك اللجوء الى كتابك في تلك الأثناء. مثلا إذا كنت تنتظر دورك في طبيب الأسنان فان ساعات الانتظار يمكن أن تتحول لساعات للقراءة.
- إذا كنت تقود سيارتك للعمل أو لشراء أغراض من محل البقالة فأنصحك ببرنامج (audible) وهو برنامج للكتب المسموعة يعمل على الهواتف الذكية والحاسوب. يمكنك سماع كتبك المفضلة في أثناء رحلتك اليومية للعمل، وإذا كنت بصحبة أشخاص آخرين فيمكنك استخدام سماعات الأذن، هناك العديد من البرامج للكتب المسموعة، ولكني أرى هذا البرنامج من أفضلها.

- يمكنك الاشتراك مع صديق أو زميل في جعل القراءة كهواية مشتركة بحيث تتبادلون الحديث والآراء عن الكتب التي يقرأها كل منكم. وتتيح منصات التواصل الاجتماعي مثل فيسبوك ولينكدان إمكانات لا تحصى للاشتراك في مجموعات ذات الاهتمام المشترك والاستفادة من خبرات وتجارب الآخرين.
- عليك بتخصيص مكان في البيت أو المكتب للقراءة بحيث تتوفر فيه إضاءة مناسبة، ويكون بعيداً من المؤثرات والمشوشات مثل التلفاز والهاتف الذكي. عليك بإيقاف التنبيهات في الهاتف والحاسوب (حتى في حالة عدم القراءة)، لأنها تعمل على تشتيت التركيز في أي عمل تقوم به. من الأفضل أن تقرأ في نفس المكان ونفس الموعد حتى تصل لمرحلة المهارة، وإذا رغبت في تغيير المكان كالقراءة في المقهى مثلاً فمن الأفضل أن يكون ذلك في أثناء قراءة نفس الكتاب لكيلا ينفصل التأثير الذي تنوي تطويره.

الكورسات والمؤتمرات المهنية

توفر الكورسات المهنية فرصاً قيمة لتطوير المهارات المهنية والمعرفية في شتى نواحي المعرفة القانونية. وبالنسبة للكتابة القانونية فيمكنك أن تبدأ من أي مكان. ويوفر الإنترنت فرصاً لا تحصى للتعلم والتطوير، ولكن سأذكر هنا بعضها على سبيل المثال لا الحصر:

- **لينكدان**: توفر لينكدان كورسات في الكتابة بشتى أنواعها، ولكنها مشروطة بالاشتراك في حساب بريمير. إن الكورسات التي توفرها لينكدان تمثل استثماراً ناجحاً في المعرفة.
- **موقع مونتربوكس (mentor box):** هذا الموقع يقوم بتلخيص أمهات الكتب في شتى المجالات المختلفة، مثل ريادة الأعمال وتطوير الذات وغيرها وتقديمها للقارئ في شكل فيديوهات مختصرة. في الغالب يقوم المؤلف نفسه بتقديم الفيديو، ولكن في بعض الحالات يقوم بذلك فريق العمل في الموقع. الموقع يوفر كورسات متخصصة ومجموعات نقاش بالإضافة للكتب. للتعرف على المزيد مما يحتويه الموقع يمكنك زيارة الموقع:

https://get.mentorbox.com/flow.php?lp=FS-0006&source=BD&gclid=Cj0KCQjw0oCDBhCPARIsAII3C_FH1GBDC20D1yvQkWBih7BhxbqgQtVJG1Q7z5xhDc7koRttsIyNzT4aAuw4EALw_wcB

- **موقع كورسايرا (coursera):** هذا الموقع يوفر كورسات من أعرق جامعات العالم مثل ستانفورد ودوك والينويس وذلك بتكلفة زهيدة نسبيا. ولا يتطلب الاشتراك في هذه الكورسات الحصول على شهادات مسبقة، وإنما هي متاحة للجميع على الإنترنت. يمثل هذا الموقع ثورة في التعليم. يمكنك زيارة الموقع عبر الرباط التالي: https://www.coursera.org/

الدراسات الأكاديمية فوق الجامعية:

تنفرد دولتي كندا والولايات المتحدة الأمريكية بنظام قانوني يفرض على طلاب القانون الحصول على شهادة جامعية من كلية لا تقل مدة الدراسة فيها عن ثلاث سنوات قبل الالتحاق بكلية القانون. وبذلك فان الحصول على شهادة القانون من كندا والولايات المتحدة الأمريكية يسمى Jurist Doctorأو شهادة JD اختصارا. وقد يكون مرد ذلك إدراك المشرعين في هاتين الدولتين لضرورة حصول المحامي على دراسة خارج إطار القانون لكي يبنى العلم القانوني على علم منفصل في منحى آخر من مناحي الحياة بحيث تتسع آفاق المحامي بما يجاوز عالم القانون.

وحيث أن الدول العربية لا تشترط مثل هذه الدراسات (حيث يُقبَل الطلاب في كليات القانون مباشرة من المدارس الثانوية) يتضح تعاظم حاجة المحامي لدراسة خارج إطار القانون حتى لا تكون معرفته ضيقة بحدود ما درسه في كلية القانون. إن عدم وجود دراسة خارج القانون تحرم المحامي من المعرفة التي يحتاجها لإكمال إدراكه للعالم من حوله، وكيف تسير الأمور خارج المهنة. لذلك فإنني أحث جميع المحامين على الانخراط في الدراسة ونيل المعرفة خارج إطار القانون. ولكن ذلك ليس مسألة سهلة لأنه خروج عن المألوف وعن المعتاد، فحين قررت أن أدرس دبلوم الإحصاء وعلوم الحاسوب بعد تخرجي من كلية القانون بجامعة الخرطوم، فقد قوبلت بعبارات استنكار من بعض زملائي في الدراسة، الذين أتهموني بتضييع وقتي في دراسة لن تفيدني كمحام. وبعد أن أكملت دراسة دبلوم الإحصاء وعلوم الحاسوب درست الدبلوم العالي في إدارة الأعمال، فقد قوبلت بالتشكيك من البعض (والاستحسان من البعض الآخر) وكل ذلك بسبب أن هذه الدراسات ليست في مجال تخصص القانون.

ومن المهم ألا نغفل عن الدراسات في مجال القانون نفسه مثل دراسات الماجستير والدكتوراة، وهو طريق يسلكه العديد من المحامين لنقل معارفهم الى درجة التخصص. وتوفر دراسات الماجستير فرصاً عظيمة للتعمق في مجال معين من مجالات القانون، وصولاً إلى مرحلة الخبرة. وقد يكون من المناسب أن تسبق الدراسة فترة من التجربة العملية في مجال التخصص لكي يتعرف الطالب على طبيعة المجال القانوني الذي ينوي التخصص فيه ويتلمس شغفه بهذا المجال حيث إن الشغف وحب التخصص هو مفتاح الطاقة وسر النجاح، لأن الشغف يعمل مثل الشعلة التي تنير الطريق للطالب وتدفعه لبذل الوقت والجهد دون كلل أو ملل.

تعج المكتبات العربية بمؤلفات قيمة لقانونيين كانت نتاج دراسات لنيل درجة الماجستير والدكتوراة، حيث تتيح الدراسة المتخصصة لمثل هؤلاء القانونين الفرصة لاكتساب المعارف القانونية بصورة أكثر عمقاً كما تتاح للطالب صقل مهارات البحث العلمي والنقد المعرفي تحت اشراف أساتذة أكاديميين متخصصين بحيث يكون باحثا محترفاً ومتعلماً قبل أن يكون عالماً.

صياغة رسالتك في الحياة (Mission Statement):

في كتابه أدوات الكتابة (Writing Tools, 50 Essential Strategies for every Writer) يدعو المؤلف روي بيتر كلارك الى صياغة رسالتك الأساسية لحياتك المهنية ككاتب، ولكل كتاب أو عمل تقوم به (Clark، 2006). في هذه الرسالة تعبر عن الهدف الذي تسعى لتحقيقه من الكتابة بحيث تكون المسودة مصدر الهام ومصدر تحفيز داخلي يلهب حماسك للتقدم والسعي للأمام في مسيرتك المهنية أو في العمل الذي تقوم به.

إن صياغة رسالتك أو مهمتك الأساسية تبعث في النفس الإصرار والعزيمة، لأنها ترتبط بالغايات الكبرى لحياتك، والمصير الذي تسعى للوصول إليه ومن ثم تشكل هذه الرسالة البوصلة التي تهديك إلى الصراط المستقيم في مساعيك المهنية. لقد أجمع الخبراء على أن كتابة الأهداف هو خطوة فعالة في طريق تحقيقها، حيث إن عملية الكتابة تنشط في العقل الباطن إمكانات خاملة بسبب عدم وضوح الرؤية، ولكن الكتابة تنفض عنها الغبار وتبعث فيها روح الحيوية والنشاط، فتعمل قوى العقل الباطن على مدك بالأفكار وبالطاقة وبالنشاط لكي تعمل بجد على تحقيق

أهدافك التي كتبتها. فاذا أردت تحقيق أي هدف أو أردت النجاح في أي مسعى أو أردت زيادة عزيمتك فعليك بكتابة أهدافك وعليك بكتابة الأسباب وراء أهدافك أي بمعنى آخر لماذا تريد تحقيق هذه الأهداف. ان وضوح الأسباب في ذهنك يزيد من تصميمك على تحقيق هذه الأهداف.

الاهتمام بالصحة الجسدية والعقلية

لن يكتمل الحديث عن التطور المستمر بدون التطرق للحديث عن الاهتمام بالصحة فالعقل السليم في الجسم السليم كما يقال. ان الاهتمام بالرياضة والتغذية السليمة ونيل القسط الكافي من النوم والابتعاد عن العادات المضرة بالصحة هي كلها من البديهيات والتي يجمع عليها علماء التغذية والأطباء بشكل عام. ولكن يرى Amiram Elwork, Ph.D. في كتابه (Stress Management for Lawyers) أن مهنة القانون تتميز عن سواها بوجود ضغوط إضافية تنبع من طبيعة المهنة التي تتعامل مع المشاكل بمختلف أنواعها وبسبب طبيعة ممارسة بعض أنواع القانون (Elwork، 1997، صفحة 19). اليك فيما يلي استعراضاً لأهم المبادئ التي يجمع عليها الخبراء:

(أ) **الرياضة والطعام الصحي**

لقد تناولنا في باب مهارة الاعداد مفهوم العادات وكيف يمكن أن تطور عادات جيدة وتتخلص من العادات السيئة مثل التدخين والسهر وغيرها وقد حان الوقت لتطبيقها بشكل أكبر في مجال الصحة الجسدية من خلال تكوين عادات صحية وتخصيص وقت للرياضة ومراقبة الطعام الذي تتناوله وجودة وكمية ساعات النوم. وبحسب تجربتي فان البداية عادة هي أصعب جزء لذلك عليك البدء بصورة صغيرة ثم الزيادة التدريجية في العادات المتعلقة التي تريد تبنيها مثل الرياضة.

(ب) **تكوين الصداقات**

ان تكوين صداقات داخل وخارج مهنة القانون مسألة مهمة للنجاح في مهنة القانون، حيث تشير الأبحاث والتجارب لأهمية الصداقة في حياتنا المهنية والشخصية. ولكن يجب الحذر في اختيار هذه الصداقات من خلال مراقبة تأثيرها على حياتك وقد صدق رسول الله صلى الله وعليه وسلم في

الحديث الذي رواه أبو موسى الأشعري حين قال: " **انما مثل الجليس الصالح وجليس السوء كحامل المسك ونافخ الكير. فحامل المسك اما أن يحذيك واما أن تبتاع منه واما أن تجد منه ريحاً طيبةً. ونافخ الكير اما أن يحرق ثيابك واما أن تجد منه ريحاً منتنةً**." متفق عليه. فعليك بالصديق الذي تكون صداقتك كحامل المسك.

(ت) كتابة الخواطر والتفكر

من الطرق الجيدة التي أفادتني هي كتابة الخواطر وهي عملية التفكر في مجريات الأحداث اليومية ومجريات التي تمر بها عموما وتسجيل أفكارك ومشاعرك حيال هذه الأحداث بغرض الرجوع اليها من حين لآخر لإعادة التقييم والتعلم من الدروس وملاحظة العبر. لا تحتاج هذه الطريقة الا لدفتر وقلم وعقل مستعد. وإذا كنت تفضل الكتابة في الحاسوب فلا بأس من ذلك، ولكني أفضل الكتابة باليد ربما بسبب العادة وربما بسبب الشعور الذي تثيره حركة القلم بين الأصابع.

(ث) الايمان بالله

ان تقوية العلاقة مع الخالق والايمان بالله من المسائل التي لها تأثير كبير على النواحي النفسية لأن الايمان يعبث على الطمأنينة والسكينة والتوكل على الخالق في كل أمور الحياة وقد أجمع الخبراء (بما فيهم غير المسلمين وغير المتدينين) بأهمية الايمان في حياتنا.

الخلاصة

تتعلق المهارة الخامسة بالعملية الأخيرة في عمر المستند وفي هذه المرحلة تقوم بتقمص المخرج السينمائي الذي يعنى بإخراج المستند الى العالم. في هذه المرحلة عليك بالنظر للاستخدامات المتعددة للمستند وطريقة عرضه ليتناسب مع الاستخدامات المختلفة لهذا المستند. وحتى بعد إرسال المستند إلى المتلقي فان عليك العمل على حفظ نسخة من المستند بطريقة تسهل الرجوع اليه كلما دعت الحاجة وعليك العمل على جعله قابلا للاستخدام في مجالات أخرى في المستقبل بحيث تتحقق الاستفادة القصوى من الجهد الذي بذلته في صناعة هذا المستند. ان كل مستند تصيغه يمثل استثمارا وفرصة للتطور ومن خلال تكوين مراجع من هذه

المستندات يمكنك تطوير مهارات الصياغة القانونية، مع الاستخدام الأمثل لمواردك من الوقت وغيرها من الموارد.

ان الاستثمار في عمليات التطوير والتعلم هو أهم استثمار تقوم به في حياتك ولذلك عليك بعمل استراتيجية للتطور المهني والاهتمام بالنواحي الصحية والنفسية.

تمرين المهارة الخامسة

مهارة الإخراج

في هذه المهارة تعلمت مهارة الإخراج وتعلمت أهمية التعلم المستمر. باسترجاع جميع المهارات التي تعلمتها حتى الآن، قم بالإجابة على الأسئلة التالية والتمارين الموضحة أدناه.

1. قم بعمل عصف ذهني للمواضيع والنواحي التي يمكنك استخدام مهاراتك في الكتابة (قد يكون ذلك كتابة مقالات في مواضيع تهمك/ تصميم كورس/ كتابة أدبية/ تأليف كتاب ....الخ).

2. قم بعمل خطة للاستثمار في التعليم مع تحديد ميزانية شهرية تنفقها في التعليم.

3. اكتب رسالة إلى نفسك بعد أن تتخيل مرور عام من الآن. في هذه الرسالة تخيل الإنجازات التي حققتها بفضل تطويرك لمهارات الكتابة وضمن في رسالتك الآتي:

(أ) تفاصيل المنافع والأشياء الرائعة التي تستمتع بها من الناحية المالية، والإشباع النفسي والتأثير الذي تحدثه على المجتمع من حولك (أبحر

في الخيال بقدر ما تستطيع لأنك بذلك تضع الخطة التي سيعمل عليها عقلك الباطن لتحقيقها).

(ب) أذكر الأشياء التي تخاف من حدوثها وجميع مخاوفك الحالية والتي تبين لك عدم صحتها بعد مرور عام. أكتب جميع المخاوف التي تخطر على بالك ثم أخبر نفسك في الرسالة أن هذه المخاوف اتضح أنها غير حقيقية ولم تحدث إطلاقا.

(ت) أذكر في رسالتك 3 من العادات الجديدة التي اكتسبتها وكيف غيرت حياتك للأفضل.

(ث) أذكر في رسالتك 3 من العادات الضارة التي تخلصت منها وكيف جعلت حياتك تسير للأفضل.

4. اكتب لنفسك شهادة تهنئة بالإنجازات التي تحلم بتحقيقها وضع تاريخا على هذه الشهادة ووقع عليها. ستعمل هذه الشهادة على تحفيزك للتقدم لذلك قم بتعليقها في مكان بارز يمكنك رؤيتها بصورة مستمرة.

الخاتمة

لقد وصلت الآن الى خاتمة المطاف وأحب أن أجزل لك الشكر والتقدير والتهنئة على هذا الانجاز. سأقدم فيما يلي تلخيصا مختصرا للمهارات الخمس. في الكتاب الثاني سأقدم لك تطبيقات على هذه المهارات ثم أطرح عليك بعض الأبواب التي يمكنك طرقها لكي تفتح لك آفاقاً جديدةً ومصادر جديدة للدخل وللتطور في حياتك المهينة.

ملخص المهارات الخمسة

1. مهارة الاعداد والتخطيط

في بداية الرحلة بدأنا بالمحطة الأولى وهي مهارة الإعداد والتخطيط متقمصين شخصية المبدع/ المجنون. لقد تناولنا مهارات التعلم والتطور المهني عن طريق إدراك أهمية وضع الأهداف وكتابتها لكي تقودنا هذه الأهداف إلى تحقيق ما نصبو إليه. وتعلمنا الطرق الكفيلة بتحقيق هذه الأهداف عن طريق تعلم كيف يعمل الدماغ البشري وفهم مكوناته. ثم تحدثنا عن العادات وكيف تشكل تصرفاتنا وأفعالنا وتحدثنا عن المعتقدات وكيف ترسم حياتنا وحركاتنا، ثم تعملنا كيف نسخر العادات والمعتقدات لخدمة أهدافنا المهنية والشخصية. وختمنا هذه المهارة بتمارين تساعد على ترسيخ هذه المهارة وتعميق أثرها في حياتنا.

2. مهارة البحث والتحليل

في المهارة الثانية تحدثنا عن مهارة البحث والتحليل وتعرفنا على أساليب وتكتيكات البحث القانوني. لقد عرفنا أن البحث والتحليل يبدأ من إدراك الوقائع (القصة) من خلال تقصي هذه الوقائع وفهم أبعادها. ثم بعد ذلك تحدثنا على كيفية تحديد القانون الذي يحكم هذه الوقائع بغرض إنزال القانون عليها وتحليل هذه الوقائع في ضوء القانون الذي يحكمها. ان التحليل القانوني السليم للوقائع

سيمدنا بخارطة الطريق لبناء الحجج والدفوع التي نستند عليها في صياغة المستند الذي نعمل عليه في أثناء العمل في المهارة الثالثة.

3. مهارة الصياغة والكتابة

في المهارة الثالثة تناولنا مهارة الصياغة والكتابة القانونية. لقد تعلمنا أن المستند يتأثر بالشكل والموضوع وتعلمنا كيف نعظم تأثير المستند من خلال فهم أسرار هاتين المسألتين. ان الاهتمام بالشكل يعني فهم توقعات القارئ للمستند والاستجابة لهذه التوقعات بصورة تخدم الغرض من صياغة المستند، حيث إن توقعات المستند تبدأ بجعل عملية القراءة سهلة على عين القارئ ولا تستهلك طاقة زائدة من عقل القارئ عن طريق الإطالة أو التعقيد. وبالنسبة لموضوع المستند فقد تناولنا المهارات المتعلقة باختيار الكلمات وترتيبها واختيار الجمل وتنسيقها واختيار الفقرات وتنظيمها، وكل ذلك بغرض الوصول بالمحتوى لأقصى غايات الوضوح والإقناع، مع الحفاظ على روح أناقة العرض وجزالة اللفظ.

4. مهارة المراجعة والتدقيق

في المهارة الرابعة تقصمنا شخصية المحقق ومارسنا مهارة التدقيق والمراجعة. لقد تعلمنا أن نبدأ بمراجعة هيكل المستند ومقارنته مع الخطة التي وضعناها عندما كنا نتقمص شخصية المهندس المعماري. ثم دلفنا إلى مهارات التدقيق اللغوي وتدقيق تفاصيل المستند لنتأكد من خلوه من الأخطاء والهنات. لقد تعلمنا أهمية تنقيح المستند وعرضه على الآخرين بغرض استطلاع رأيهم واستلام التغذية الراجعة التي تعيننا على تجويد المستند ورفع مستوى تأثيره.

5. مهارة الاخراج

في المهارة الأخيرة تقمصنا شخصية المخرج السينمائي الذي يخرج المستند للعالم من خلال المهارة الخامسة وهي مهارة الإخراج. في هذه المهارة تحدثنا عن مصير المستند وكيف نتصرف به بطريقة تعظم تأثيره على المتلقي مع الاستفادة من الوقت الذي بذلناه في المراحل السابقة بغرض الاستفادة من هذا

المستند في أعمال جديدة تعود علينا بالنفع. لقد تعلمنا أهمية الأرشفة واعداد النماذج التي يمكن إعادة استخدامها، كما تعلمنا أهمية الاهتمام بالشكل النهائي للمستند. سنتناول الآن الأبواب الجديدة التي يمكنك عبرها استخدام هذه المهارات.

الجزء الثاني

الأمثلة التطبيقية

مقدمة

في الجزء الأول من الكتاب تناولنا العادات والمهارات الخمس التي عليك تنميتها لمساعدتك في الصياغة القانونية، بحيث تصبح هذه العادات بمثابة الخارطة التي تقودك في أثناء الصياغة.

في الجزء الثاني من الكتاب سنتناول أمثلة عملية وتطبيقية للمستندات الأكثر شيوعاً واستخداماً بين المحامين. ولكسب الوقت فسنفترض أنك قمت بجميع أعمال التخطيط والبحث والتحليل، وقد وصلت لمرحلة الصياغة، عليه فان المستندات التي سنتناولها في هذا الكتاب هي كالتالي:

1. صياغة صحف الدعوى والمذكرات
2. صياغة الاستشارات القانونية
3. نمازج صحيفة الدعوى

الباب الأول

صياغة صحف الدعاوى والمذكرات

صياغة صحف الدعاوى والمذكرات

مقدمة

المقصود بصحيفة الدعوى هو المذكرة المكتوبة التي يقدمها المتقاضي للمحكمة يشرح فيها مطالبته، ويطلب من المحكمة إصدار حكم لصالحه.[16] في هذا الباب لن أخوض في الدعاوى الجزائية، بل سينحصر الحديث عن الدعاوى المدنية بمعناها العام الذي يشمل أي دعوى غير جزائية. في الغالب فإن قانون الإجراءات المدنية[17] ينظم طريقة تقديم صحف الدعوى ومشتملاتها، لذلك فعليك الرجوع إلى القانون الذي ينظم صحيفة الدعوى في القطر الذي تمارس فيه، للتأكد من الالتزام بمتطلباتها، ولكن في هذا الباب سأستعرض الجوانب العامة للصحيفة، والتي تصلح لجميع الدعاوى غير المدنية بغض النظر عن القطر الذي تمارس فيه.

أطراف الدعوى:

تحديد أطراف الدعوى من المسائل الجوهرية في التقاضي[18]، وقد يبدو هذا الأمر من البديهيات في ظاهره، ولكن في الواقع فان له أهمية قصوى. فمثلا قد يكون الموكل قد تعاقد مع شركة عالمية معروفة (أو هذا ما يظنه الموكل) ولكن فحص المستندات بعناية قد يبين أن التعاقد كان مع شركة محلية تابعة وليس مع الشركة العالمية المعروفة، وبالتالي فإن الخطأ في تحديد أطراف الدعوى قد يؤدي الى

---

[16] انظر المادة (64) من قانون الإجراءات المدنية والتجارية العماني التي توضح مشتملات صحيفة الدعوى والتي تشمل أسماء الخصوم وعناوينهم وتاريخ تقديم الصحيفة واسم المحكمة ثم وقائع الدعوى وطلبات المدعي وأسانيدها.

[17] انظر على سبيل المثال قانون الإجراءات المدنية والتجارية العماني الصادر بالمرسوم السلطاني رقم 2002/29.

[18] المادة (64) من قانون الإجراءات المدنية والتجارية العماني المرجع نفسه.

رفعها على طرف ليس له صفة في الدعوى. قد يكون أطراف الدعوى من الأشخاص الطبيعيين (البشر) أو الأشخاص الاعتباريين (مثل الشركات).

وبالنسبة للشركات محدودة المسؤولية فعلى المتقاضي أن يدرك أن الذمة المالية للشركة منفصلة تماما عن الذمة المالية للشركاء. وبالتالي فإن لم يكن للشركة أموال يمكن التنفيذ عليها، فإن رفع الدعوى وكسبها قد لا يجلب أي منفعة حقيقية بسبب استحالة تنفيذ الحكم لعدم وجود أموال كافية تستخلص منها قيمة الحكم الذي حصلت عليه. ويكون الحكم بعكس ذلك إذا كانت الشركة من شركات التضامن التي تجعل الشركاء مسؤولين عن ديون شركتهم في أموالهم الخاصة.

وقد يكون الحق المتنازع عليه تحت سيطرة طرف ثالث، ولذلك فقد يكون من الحكمة اختصام هذا الطرف بغرض إلزامه بتسليم الحق المتنازع عليه أو تنفيذ العمل المطلوب، وتظهر أهمية مثل هذه الحالات في نزاعات قانون القضاء الإداري، وهو الفرع من القانون الذي تكون فيه الدولة أو إحدى مؤسساتها طرفاً في النزاع.

عند فحص العقود المبرمة بين الأطراف، فعليك النظر إلى الالتزامات التعاقدية، ومعرفة ما إذا كان هناك جهة ضامنة لهذه الالتزامات بغرض دراسة اختصامها في الدعوى.[19] وعلى العكس من ذلك فقد تكون هناك منفعة استراتيجية في استبعاد خصم من المنازعة بسبب أن ضمه إليها سيؤخر الفصل في الدعوى، أو يعطل الإجراءات، مثل كون هذا الخصم ناقص الأهلية أو قاصر أو يقطن في مكان يصعب إعلانه.

في مسائل دعاوى المسؤولية التقصيرية، فان تحديد أطراف الدعوى يكتسب أهمية خاصة بسبب احتمالية تشعب الدعوى في حالة اشتراك أكثر من طرف في تسبيب الضرر، ومن ثم قد تكون هناك حاجة إلى إدخال جميع الأطراف المتورطة في إحداث الضرر كخصوم في الدعوى لزيادة رقعة الجهات التي يمكن التنفيذ ضدها. ولكن في مثل هذه الحالة قد تكون الملاءة المالية لطرف ما سبباً في جره الى دعاوى بدون مبرر سوى معرفة الخصم بقدرة هذا الخصم على الدفع، أو استعداده

[19] انظر المادة (118) من قانون الإجراءات المدنية والتجارية العماني.

للتسوية بغرض تفادي المنازعات، وهي حالات قد تدخل ضمن نطاق التعسف في استعمال حق التقاضي.

بعد أن حددت أطراف الدعوى فان عليك تسهيل مهمة إعلانهم[20]، لذلك فان عليك الاهتمام بتقديم عنوان صحيح يسهل معه إعلانهم. وغالباً يحدد قانون الإجراءات المدنية طرق الإعلان البديل في حالة تعذر إعلان الخصم، وذلك عن طريق الإعلان في الصحف أو غيرها. ولكن في كل الأحوال فان تقديم عنوان صحيح للخصم يضمن أن تكون الخصومة قد انعقدت بوجه صحيح، بحيث تتاح للخصم الرد عليها، وتفادي إصدار أحكام معيبة بسبب عدم إعلان الخصم بصورة قانونية.

ملخص الدعوى:

إن تقديم ملخص للدعوى في بداية الصحيفة هو مسألة غير معروفة بين معظم المحامين في الدول العربية، ولكنها تقليد راسخ لدى العديد من دول القانون العام. في مقاله بعنوان (It's English, But What is you Point? Writing Factums That Even a Judge Can Understand) يقول القاضي مارشال روستين بضرورة تضمين نبذة مختصرة في الصحيفة، لأنها تعطي القاضي الفرصة لفهم الاطار العام للدعوى قبل مناقشة تفاصيلها، ويقترح القاضي روستين أن تكتب كأنها قصة ترويها لجارك، كناية عن ضرورة أن تكون مبسطة بدون استخدام المصلحات القانونية المعقدة. وهذا الرأي يقول به المحامي (Spence، 1995) حيث يرى ضرورة تقديم الدعوى في شكل قصة معبرة بدلاً من العبارات القانونية الجافة التي تعج بها صحف الدعاوى.

إن الفائدة التي تضفيها فقرة ملخص الدعوى أنها تعمل كمقدمة تشرح الدعوى بصورة موجزة بدون إخلال، ولكنها تتضمن أساس الدعوى بصورة كافية، بحيث تجهز القاضي للغوص في تفاصيل الوقائع ونقاشات الدعوى.

---

[20] تنص المادة (64) من قانون الإجراءات المدنية العماني على ضرورة تقديم موطن المدعى عليه فان لم يكن له موطن معلوم فعلى المدعي تقديم آخر موطن للمدعى عليه.

وقائع الدعوى

تعبر وقائع الدعاوى عن مجريات الأحداث التي وقعت والتي تستند اليها في تشكيل الصحيفة.[21] ويجب اختيار الوقائع المرتبطة بالدعوى فقط، بحيث تستبعد التفاصيل التي لا تهم الدعوى. ويجب اختيار الوقائع بشكل يخدم قضيتك بالتركيز على النقاط التي تدعم نظريتك في الدعوى، وإبرازها بصورة واضحة للقاضي. ويكون الشكل الغالب في صياغة الوقائع هو التسلسل الزمني من الوقائع الأقدم الى الأحد. إن الافراط في التفاصيل غير محمود لأنه يشتت تركيز القاضي.

ترقيم الأدلة

في أثناء سرد وقائع الدعوى يكون من المفيد أن تدعم الوقائع بالأدلة المناسبة مع ترقيمها لكي يسهل الرجوع اليها. ان الترقيم المنطقي السليم للأدلة يسهل الإشارة اليها في جميع مراحل الدعوى ويجعل الكتابة سلسة وسهلة المتابعة لذلك عليك العناية بترقيم الأدلة مع كتابة جدول بالأدلة في نهاية الصحيفة.

صياغة العناوين الجانبية

لقد تناولنا مسألة اختيار العناوين الجانبية ضمن الحديث عن مهارة الصياغة والسبب أن العناوين الجانبية تعمل على كسر رتابة الصياغة وإضافة الحيوية والوضوح للكتابة. لذلك عليك اختيار عناوين جانبية لفقرات الوقائع وجميع أجزاء صحيفة الدعوى. يعمل العنوان الجانبي على تقسيم النص الى أجزاء منسقة يسهل فهمها ومتابعتها والرجوع اليها كما تعمل العناوين على التذكير بالنقاط الرئيسة في الموضوع. فعندما يريد القاضي مثلا مراجعة نقطة معين في الصحيفة فان العنوان الجانبي يعمل على ارشاده للمنطقة التي يجد فيها المعلومة التي يريد بسهولة ويسر. يجب اختيار العنوان الجانبي بعناية لكي يعبر عن محتوى الفقرة التي تليه ولا بأس من إضافة عنصر التشويق الى العنوان بغرض إضافة نكهة ملطفة، خاصة إذا كان المحتوى جافاً ومعقداً.

---

[21] انظر المادة (64) من قانون الإجراءات المدنية والتجارية العماني.

إن صياغة العنوان الجانبي في صيغة الفعل المضارع يضفي حيوية على النص، لأن الفعل المضارع يحمل معنى الاستمرارية والحركة، وكلها معاني تضفي عنصر الديناميكية للنص وتجعله نابضاً بالحياة والفعالية.

إنزال القانون على الوقائع

بعد أن قمت بسرد وقائع الدعوى، عليك الآن إنزال القانون الذي ينطبق على هذه الوقائع، بحيث يقود ذلك السرد إلى تحليل منطقي يخلص إلى النتيجة التي تنادي بها. وقد سبق أن ذكرنا أن القانون ينقسم من حيث المصدر إلى المصادر الأولية للقانون مثل التشريعات القانونية (والسوابق القضائية التي رسختها المحاكم العليا وفقا لنظام القانون العام). أما المصادر الثانوية فهي أقوال الفقهاء وتحليلاتهم وآرائهم الفقهية. وحينما تقوم بالاستدلال بمادة من القانون فإن عليك أن تمهد لذلك بخلفية مناسبة تضع المادة التي تستدل بها ضمن السياق المناسب للكلام، لكي يسهل على القارئ الربط بين الوقائع وبين هذه المادة بصورة سلسة ومنطقية. وهي مسألة يغفل عنها بعض المحامين المبتدئين حيث يقومون بتقديم قائمة من مواد القانون وسوابق قضائية بدون أن يسبقها أو يتخللها أي تمهيد يجعلها مرتبطة بوقائع الدعوى ومنتجة فيها، فتكون النتيجة أن تتخطاها عين القارئ دون أن تقف عندها، لأن الكاتب لم يكلف نفسه عناء توضيح الرابط بين هذه المواد وبين الوقائع وإنما ترك عبء هذا العمل على القارئ المسكين، فيكافئه القارئ بتجاهل هذه الفقرات.

وينصح برايان جارنر "بغزل" الاقتباسات وتضمنيها داخل الفقرات بحيث تشكل نسيجا متناسقاً، بحيث عليك أن تدفع بحجة أو قول معين ثم تترك للمادة القانونية أن تدعم هذه الحجة التي سقتها أو القول الذي جئت به. وحين تورد المادة القانونية في مذكرتك فلا بأس من إيراد الفقرات التي تدعم حجتك فقط، والاكتفاء بنقاط تشير الى الكلمات أو الفقرات المحذوفة مثل (...). ويلجأ الكثير من الكتاب القانونيون الى تظليل الفقرات التي تدعم حجتهم بحيث تظهر أوضح عما سواها.

ان الغرض من إنزال القانون على الوقائع هو تقديم شرح منطقي للقانون بحيث يؤدي ذلك لإقناع المحكمة بأن القانون يدعم حجة وموقف موكلك من خلال استعراض كيف تنسجم هذه الوقائع التي سردتها مع أحكام القانون الذي ينطبق

عليها، وبالتالي فان على المحكمة أن تؤيد موقف موكلك لأن المحكمة معنية بتطبيق القانون.

ان صياغة المذكرة في شكل قصة متكاملة يجعل المذكرة سهلة الفهم على المتلقي وأكثر قابلية للتصديق. ومهما كان الأسلوب الذي تتخذه في إنزال القانون على الوقائع فان الغاية لا تتغير وهي اقناع المحكمة بوجاهة وأحقية موقف موكلك من حيث القانون وقواعد العدالة من خلال تقديم الحجج والدفوع التي تشرح موقف موكلك في الدعوى. دعني الآن أذكرك بأسلوب جارنر في طرح الحجة وذلك وفقاً للتالي:

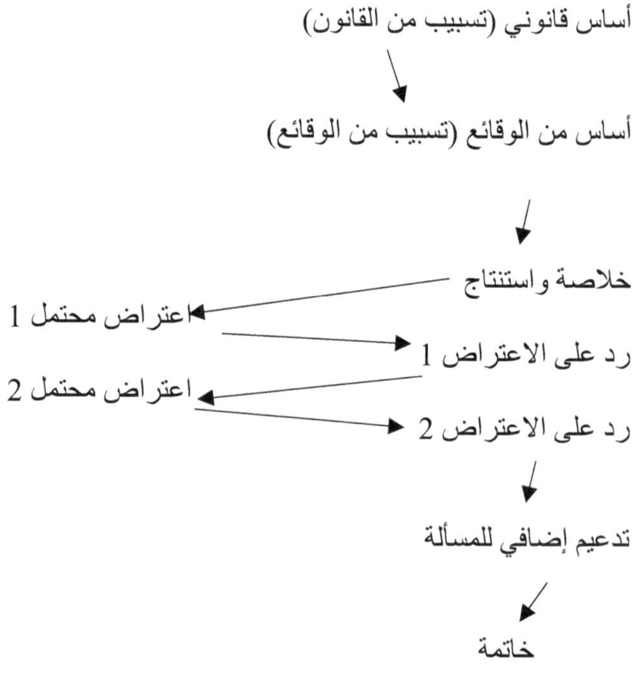

فحين نتناول المسؤولية التقصيرية مثلا، فإن القانون يتمثل في تحديد أركان أو عناصر المسؤولية وهي: (أ) وجود التزام (مثل الالتزام بعدم الإضرار بالغير) (ب) عنصر الخطأ (ج) تسبيب ضرر للغير (د) علاقة السببية بين الخطأ وبين

الضرر الذي وقع. وعليه يكون التحليل القانوني من خلال توافر هذه الأركان في المسألة المطروحة أو عدمها، فاذا أثبتت توافر العناصر فقد ثبتت المسؤولية وإذا أثبت تخلف أحد العناصر أو جميعها فقد انتفت المسؤولية. فمثلا إذا كان جار موكلك قد قام بطرح مخلفات زيت سيارته في الشارع دون أن يضعها في المكان الصحيح فقد توفر العنصر الأول وهو مخالفة الالتزام بعدم الإضرار بالغير، وتوفر الركن الثاني من خلال طرح الزيت في الشارع عن طريق الإهمال، فإذا تصادف أن ابن جار موكلك كان يمر في الطريق بدراجته وتعثر في الزيت المطروح وتكسرت الدراجة، فقد تحقق عنصر الضرر المتمثل في تحطم الدراجة. وحيث أن تحطم الدراجة كان بسبب الزيت الذي طرحه جار موكلك فإن خسارة الدراجة كانت نتيجة للخطأ الذي ارتكبه جار موكلك، وعليه فقد توافرت جميع الأركان المطلوبة للمسؤولية التقصيرية (التزام ضمني بعدم الاضرار بالغير+ خطأ + ضرر+ علاقة سببية)، وأصبح جار موكلك مسؤولا عن تحطم الدراجة، وعليه دفع ثمنها أو تقديم دراجة بديلة.

أما إذا كنت تمثل الجار، فقد يكون عليك إثبات عدم توافر هذه الأركان بحق موكلك. فمثلا قد تسعى لأن تثبت أن الذي طرحه موكلك لم يكن زيتاً وإنما عبارة عن خليطاً من الزيت والماء يجعله يتبخر بمجرد ملامسة الأرض. أو قد تدفع بعدم وجود التزام لأن موكلك طرح الزيت داخل أرضه وأن ابن الجار كان متعدياً حينما دخل بدراجته داخل منزل موكلك بدون إذن. أو أن سقوط الدراجة كان بسبب خلل في الدراجة وليس بسبب وجود الزيت في الأرض. وكلها دفوع تتناول أحد أركان المسؤولية، ولكن ذلك لا يعني أن تلقي بهذه الدفوع جزافاً، وانما يجب أن يكون لديك دليل يدعمها من الوقائع.

الدفوع القانونية

تتنوع الدفوع القانونية حسب وقائع الدعوى وحسب الاستراتيجية التي اخترتها. وفي هذا الجزء سأستعرض أهم الدفوع وأكثرها استخداما في الدعاوى القانونية، ولكن ذلك لا يعني أن هذه الدفوع مقدمة على سبيل الحصر وإنما على سبيل المثال.

تقسيم الدفوع الى شكلية وموضوعية:

يمكن تقسيم الدفوع إلى مجموعتين: الدفوع الشكلية والدفوع الموضوعية. ويرى بعض الفقهاء تقسيم الدفوع إلى ثلاثة أقسام رئيسة، ثالثها هو الدفع بعدم القبول، ولكني لا أتفق مع هذا الرأي وفق الأسباب التي سأوضحها ضمن الحديث عن الدفع بالتقادم، شارحاً التشابه بين الدفع بعدم القبول والدفوع الشكلية.

(أ) الدفوع الشكلية:

الدفوع الشكلية تعنى بشكل الدعوى من حيث الأطراف وتشكيل المحكمة والأمور الإجرائية الأخرى، دون الخوض في المسائل الموضوعية. والدفوع الشكلية لا تقل أهمية عن الدفوع الموضوعية لأن القانون يعنى بالشكل والمضمون. إن الشكل الذي رسمه القانون يسعى لتحقيق العدل بين المتقاضين من خلال وضع شروط شكلية محددة مسبقاً تضمن المعاملة العادلة بين أطراف الدعوى. لذلك عليك بتقديم الدفوع الشكلية قبل التطرق إلى الدفوع الموضوعية، لأن الفصل فيها قد يغني المحكمة عن الحاجة لمواصلة السير في الدعوى، فمثلا إذا كانت المحكمة التي رفعت أمامها الدعوى غير مختصة بنظرها، فإن تقديم هذا الدفع أولاً سيجعل المحكمة تمحص اختصاصها بنظر الدعوى ابتداءً. فإن وجدت المحكمة أنها غير مختصة (مثلا بسبب كون الوقائع حدثت داخل نطاق اختصاص جغرافي لمحكمة أخرى، أو بسبب وجود شرط تحكيم)، فإن الفصل في هذا المسألة يجلب منافع كبيرة للنظام القضائي، حيث لا تستهلك موارد المحكمة وزمن القضاة في نظر المسائل الموضوعية. ويمكن للأطراف إحالة الدعوى للمحكمة ذات الاختصاص

الصحيح بنظرها مما يوفر الوقت والتكاليف على جميع الأطراف، وذلك يقودنا لمناقشة أحد أهم الدفوع الشكلية وهو الدفع بعدم الاختصاص.

1. الدفع بعدم الاختصاص:

الدفع بعدم اختصاص المحكمة يرتبط أيضا باختيار القانون الواجب التطبيق، فمثلاً قد تكون الدعوى متعلقة بقانون أكثر من دولة، ومن ثم فعليك دراسة الأمر لمعرفة القانون الأكثر فائدة لقضيتك قبل التقدم بمثل هذا الدفع (Trachtman، 2013، صفحة 18). فقد تكون الدعوى متعلقة بعقد تم توقيعه في إنجلترا، ولكن تم تنفيذه في دولة الامارات العربية مثلا، وفي هذه الحالة فقد يكون القانون الإنجليزي أكثر سخاء ومنفعة لقضيتك، وقد يكون من الأفضل الدفع بأن الاختصاص للمحاكم الإنجليزية دون الإماراتية أو العكس.[22]

وقد يكون تقديم الدفع بعدم الاختصاص فيه مصلحة استراتيجية خاصة إذا كنت تمثل الطرف المدعى عليه لأن نقل النزاع من المحكمة التي اختارها خصمك المدعي سيعني أن على المدعي تكبد مصروفات رفعها من جديد أمام محكمة أخرى، وبالتالي قد يكون هذا عاملاً يحفز المدعي لقبول تسوية لصالح قضية موكلك المدعى عليه.

قد يكون تشكيل المحكمة عاملاً مهماً في تقييم الاعتراض على الاختصاص أو قبوله، فقد يكون مثلاً عرض النزاع أمام لجنة شكاوى حماية المستهلك فيه مصلحة لموكلك من عرضه أمام محكمة عادية، ونفس الشيء ينطبق على الاختصاص بنظر النزاع أمام المحاكم أو أمام هيئة تحكيم، وكلها عوامل تستوجب الدراسة لمعرفة أيها يعمل لصالح قضيتك.[23]

---

[22] تنص المادة (29) من قانون الإجراءات المدنية والتجارية العماني على التالي: (تختص المحاكم العمانية بنظر الدعاوى التي ترفع على العماني ولو لم يكن له موطن أو محل إقامة في عمان، كما تختص بنظر الدعاوى التي ترفع على غير العماني الذي له موطن أو محل إقامة في عمان، وذلك كله فيما عدا الدعاوى المتعلقة بعقار خارج السلطنة.)

[23] تنص المادة (110) من قانون الإجراءات المدنية والتجارية العماني على أن الدفع بعدم الاختصاص المحلي وخلافه يجب تقديمه قبل الرد على موضوع الدعوى والسبب في تقديري هو أن قيام المدعي بالرد على موضوع

2. الدفع بعدم الصفة في الدعوى:

الدفع بالصفة يتعلق بأطراف الدعوى، ومن له الحق في إقامتها، ومن يمكن إقامة الدعوى ضده (Trachtman، 2013، صفحة 29). فإذا أخذنا مثال الجار الذي طرح زيت السيارة في الطريق، فإذا كان الشخص الذي قام برفع الدعوى هو أحد المارة أو أحد الجيران، فقد يكون بإمكانك الطعن في صفته في الدعوى، باعتبار أنه شخص أجنبي وليس له صفة في رفع الدعوى (أي ليس له مصلحة يعترف بها القانون) بخلاف ما إذا كان من رفع الدعوى هو صاحب الدراجة التي تحطمت أو وليه. فاذا قام صاحب الدراجة برفع الدعوى ضد مالك المنزل الذي كان يستأجره الجار الذي طرح الزيت، فسيكون بإمكان مالك المنزل الدفع بأن الدعوى قد رفعت على غير ذي صفة، لأن كونه مالك المنزل لا يجعله مسؤولا عن طرح المستأجر للزيت لمجرد قيامه بتأجير منزله لهذا المستأجر.

ومن ناحية أخرى فاذا كنت تمثل المدعي فقد يكون من المصلحة أن تضيف خصماً في الدعوى قد لا يكون المتسبب المباشر في الضرر. فمثلاً إذا كان من طرح الزيت في الطريق هو عامل في ورشة تصليح السيارات، فقد يكون من المناسب اختصام الورشة نفسها (إذا كان لها كيان قانوني مستقل كأن تكون مسجلة كشركة) أو مالكها كخصم في الدعوى بسبب علاقة التابع والمتبوع. حيث إن العامل هو تابع لصاحب الورشة ويأتمر بأوامره وحيث يعتبر القانون أن صاحب العمل مسؤول عن أفعال موظفيه إذا كانت ضمن نطاق عملهم، بسبب أن صاحب العمل يملك الحق في توجيههم، فان فشل في الاشراف عليهم فقد استحق المسؤولية عن ذلك. ولكن قد يكون السبب الرئيس هو ضمان تنفيذ الحكم الذي ستحصل عليه إذا نجحت الدعوى، حيث إن المرجح أن يكون صاحب الورشة أكثر قدرة على دفع قيمة التعويض مقارنة بالعامل الذي قد لا يملك القدرة أو المال على السداد حتى إذا حكم لصالح موكلك.

الدعوى يعد قبولا ضمنيا باختصاص المحكمة كما أن الفصل في مسألة الاختصاص في بداية النزاع يجنب المحكمة والمتقاضين عناء تكبد الوقت والجهد في نزاع تختص به محكمة أخرى.

3. الدفع برد القاضي أو المحكم (تخلف شرط الحيادية):

هذا الدفع يتعلق بهيئة المحكمة أو هيئة التحكيم (Trachtman، 2013، صفحة 24) ومفاده أن هناك ظروفاً تجعل القاضي أو المحكم غير محايد سواء عن طريق رأي قد تشكلت معه عقيدته بشأن موضوع النزاع (كأن يكون قد سبق له الفصل في الدعوى) أو أن يكون له علاقة مع أحد أطراف الدعوى (كعلاقة قرابة أو تجارة أو أي مصلحة).[24]

وتثور مسألة الصداقة بين القاضي وبين أحد المحامين جدلا بين القانونيين، حيث إن المجتمع القانوني مجتمع صغير بطبعه، وقد تنشاء الصدف أن يكون القاضي هو زميل دراسة مع أحد المحامين، بسبب أن القضاء والمحاماة ينهلان من نفس المنبع القانوني. بل إن بعض دول القانون العام تشترط أن يكون القاضي قد عمل محاميا لفترة معينة قبل أن يعين كقاضي (في ولاية أونتاريو الكندية مثلاً يشترط في القاضي أن يكون قد عمل كمحام لمدة عشر سنوات مع تمتعه بسجل نظيف قبل أن يتم تعيينه كقاض). وعليه فان وجود علاقات صداقة بين محامين وقضاة هو أمر ليس مستغرباً، ولا يكون بحد ذاته سببا في عدم حياد القاضي وذلك بسبب التدريب القانوني الذي يحصل عليه القضاة في مراعاة حياديتهم وعدم تأثرهم بمثل هذه العوامل.

4. الدفع بالتقادم المسقط للمطالبة:

المطالبة بالحقوق ورفع الدعوى حق دستوري، ولكن هذا الحق محدد بفترة زمنية يجب رفع الدعوى خلالها، حتى لا يساء استخدام هذا الحق. والسبب في ذلك أنه لا يوجد حق مطلق فكل حق له حدود لا يجوز تجاوزها. ويقصد بالتقادم أن المتقاضي إذا سكت عن المطالبة بحقه لفترة طويلة من الزمن بدون عذر، فإن هذا الانتظار يخلق حقاً موازيا هو حق المجتمع في استقرار الأوضاع وتحقيق العدالة، لأن الانتظار لمدة طويلة يضيع الأدلة التي يحتاجها النظام القانوني للفصل في الدعوى، فيموت الشهود أو يسافروا لبلد آخر، وتضيع المستندات أو تتبدل الأحوال تبدلا يصعب تداركه (Trachtman، 2013، صفحة 33). كما أن الانتظار يخلق

---

[24] تنص المادة (142) من قانون الإجراءات المدنية والتجارية العماني على الحالات التي لا يجوز فيها للقاضي نظر الدعوى ومنها على سبيل المثال إذا كان قد سبق له أن أفتى أو ترافع عن أحد الخصوم.

واقعاً جديداً مفاده أن المتقاضي قد تنازل عن الحق في المطالبة فيرضي بقية الأطراف ويتابعون حياتهم. لذلك فان القانون يمنع المتقاضي من رفع المطالبة إذا سكت عنها مدة طويلة، وهذا هو ما يسمى بالتقادم المسقط.

ان التقادم لا يلغي الحق الموضوعي وإنما يمنع المطالبة به لأسباب تغلب فيها مصلحة المجتمع على مصلحة المتقاضي. وعليه إذا رفعت على موكلك مطالبة قديمة مرت عليها فترة التقادم فيمكنك الدفع بالتقادم المسقط.[25] وإذا كنت تمثل المدعي وسلط المدعى عليه سيف التقادم في وجهك فيمكنك الدفع بوجود مسقطات للتقادم، مثل إقرار المدعي الذي قطع التقادم، أو قيام موكلك بتوجيه إنذار قانوني بالمطالبة، أو أي دفع آخر يقطع التقادم.

---

[25] انظر المادة (185-1) من قانون المعاملات المدنية العماني التي تنص على التالي: (لا تسمع دعوى التعويض الناشئة عن الفعل الضار بعد انقضاء خمس سنوات من اليوم الذي علم فيه المضرور بحدوث الضرر و بالمسؤول عنه.) وتنص المادة (11) من قانون العمل العماني على أن التقادم في الحقوق العمالية هو سنة واحدة.

(ب) الدفوع الموضوعية:

تتناول الدفوع الموضوعية موضوع الدعوى ومحتواها متجاوزة بذلك القيود الشكلية والإجرائية التي تدخل ضمن الدفوع الشكلية. لذلك تتطرق الدفوع الموضوعية الى صميم الدعوى وأركانها، أي أنها تتناول الحق الموضوعي المتنازع عليه.

ويرى بعض الفقهاء إفراد نوع ثالث من أنواع الدفوع (بخلاف الدفوع الشكلية والدفوع الموضوعية) وهو الدفع بعدم القبول، ومن ثم يرون أن الدفع بالتقادم يدخل ضمن إطار الدفع بعدم القبول مسببين ذلك بأن الدفع بعدم القبول لا ينصب على الحق الموضوعي، وإنما يقصد به أن على المحكمة عدم قبول سماع الدعوى لأسباب قانونية معينة. وعليه يكون الدفع بعدم القبول يتشابه مع الدفوع الشكلية من حيث كونه لا يحوز حجية الأمر المقضي فيه، (الذي سأتناوله بالتفصيل لاحقا) وعليه يمكن للمحكمة سماع الدعوى إذا انتفت أسباب عدم القبول. ولكني أفضل قصر تصنيف الدفوع إلى نوعين فقط وهما الدفوع الشكلية والموضوعية، للتبسيط على القارئ وللتشابه الكبير بين الدفع بعدم القبول وبين الدفوع الشكلية.

وسنتحدث هنا عن بعض الدفوع الموضوعية المهمة:

1. الدفع بسبق الفصل في الدعوى (Res judicata)

الدفع بسبق الفصل في الدعوى دفع متعلق بفاعلية النظام القضائي، حيث يهدف هذا الدفع إلى حماية حق التقاضي من إساءة استخدامه في تكرار نفس الدعاوى بين نفس المتقاضين. حيث تقتضي قاعدة سبق الفصل في الدعوى أن للمتقاضي فرصة واحدة في رفع دعواه أمام المحكمة حول نفس الموضوع وبين نفس الأطراف، وعليه فإذا قضت المحكمة بحكم نهائي في موضوع النزاع فقد انغلق الباب بصورة نهائية أمام إمكانية إعادة فتحه مرة أخرى. والتعليل في ذلك أن الخصم كانت أمامه الفرصة كاملة لتقديم حجته أمام المحكمة، فان فعل ولم يحكم له فقد قضت المحكمة برفض حجته صراحة أو ضمناً، وإن لم يفعل فقد قصر ولا

يجوز مكافأته على تقصيره على حساب خصمه.[26] وبدون هذه القاعدة ستستمر المنازعات بين الخصوم إلى ما لا نهاية، حيث إن الخصم الذي يخسر الدعوى في حكم نهائي سيقوم برفع دعوى جديدة ضد خصمه الذي كسب الدعوى الأولى، وعليه تنشغل المحاكم بالقضايا الكيدية، وتستنزف مواردها المالية والبشرية من موظفين وقضاة بحيث تتراكم فيها الدعاوى حتى تعجز عن الفصل فيها، ومن ثم تتعطل الحقوق ويفقد الناس الثقة في المحاكم وتضيع العدالة.

وفي نفس الوقت فإذا تقدم خصمك بدفع سابقة الفصل، فإن الرد على هذا الدفع يكون من خلال بيان عدم انطباق شروط الدفع. فقد تدفع بأنه على الرغم من أن الدعوى بين نفس الأطراف، ولكن سبب الدعوى يختلف عن الدعوى السابقة، أو أن سبب الدعوى نشأ بعد صدور الحكم النهائي بين الأطراف.

ولكن يجب الانتباه الى أن الدفع بسابقة الفصل في الدعوى يسري في حالة فصل الدعوى في موضوع الدعوى، أي في الحق الموضوعي الذي تتضمنه الدعوى. وعليه فإن فصل المحكمة في الدفوع الشكلية لا يحوز حجية الأمر المقضي، ويجوز للمحكمة نظر الدعوى من جديد إذا انتفت الأسباب الشكلية، بعكس الحال فيما إذا كانت قد فصلت في موضوع الدعوى حيث تنتهي ولاية المحكمة بصورة كاملة.

وقد يرى البعض أن الدفع بسبق الفصل في الدعوى يجب تضمينه ضمن الدفوع الشكلية، لأنه لا يتطلب من المحكمة أن تنظر في موضوع الدعوى، بل يقتصر الأمر على مجرد الاطلاع على الحكم السابق الذي يدعي مقدم الدفع انطباق الدفع عليه، ومقارنته مع موضوع الدعوى الحالية، بحيث لا تحتاج المحكمة لسماع بينات والخوض في إجراءات المحكمة السابقة (التي يفترض أن تكون متوفرة من حيثيات الحكم السابق) وإنما يمكنها الفصل فيه بمجرد الاطلاع على الحكم السابق. وهذا الرأي على الرغم من وجاهته يقابله رأي معاكس، هو أن العبرة هنا ليست في الطريقة التي يصدر بها الحكم، وإنما في نتيجته؛ فحيث أن نتيجة الدفع بحجية

---

[26] تنص المادة (111) من قانون الإجراءات المدنية والتجارية العماني على أن "... الدفع بعدم جواز نظر الدعوى لسبق الفصل فيها تقضي به المحكمة من تلقاء نفسها ويجوز إبدائه في أي حالة تكون عليها الدعوى."
انظر أيضا (Trachtman، 2013) صفحة 38.

الأمر المقضي يعني بشكل غير مباشر الفصل في موضوع الدعوى بحكم نهائي مفاده عدم قبول الدعوى، فإن تصنيف هذا الدفع ضمن الدفوع الموضوعية هو الأقرب للصواب. وفي كل الأحوال فإن تصنيف الدفع هو أقل أهمية من كيفية استخدامه في أثناء صياغة المذكرة.

2. الدفع بالإخلال المشترك

إذا كانت دعوى المدعي ترتكز على إخلال موكلك بالتزام قانوني، فقد يكون دفاعك هو اخلال المدعي نفسه، بمعنى أن تقول إذا كان موكلي قد أخطأ فإنك لست بريئاً من الخطأ، فقد أخطأت أيضا بحق موكلي (Trachtman، 2013، صفحة 30).[27] وهذا الدفع يرتكز على قاعدة أن الشخص ليس ملزماً بالوفاء إذا كان الطرف الآخر مخلاً، وهو بذلك يشبه قاعدة المعاملة بالمثل. بسبب أن قواعد العدالة تمنع إلزام الشخص بالوفاء عند إخلال الطرف الآخر، وبالتالي يكون الدفع بالإخلال المشترك سبباً في الإعفاء من المسؤولية أو التخفيف منها على أقل تقدير.

وللرد على الدفع بالإخلال المشترك يمكن أن تشير إلى عدم التناسب بين الإخلالين، أو عدم وجود رابط منطقي بينهما، فقد يكون إخلال موكلك طفيفاً مقارنة بإخلال خصمك، وبالتالي فان إخلال موكلك ليس عذراً مقبولاً يعفي الطرف الآخر من المسؤولية. وقد يكون الرد من خلال تنازل الخصم صراحة أو ضمناً عن التمسك بإخلال موكلك، أو أن يكون قد تم الاتفاق على الإعفاء من المسؤولية عن خطأ موكلك ضمن بنود العقد المبرم بين الطرفين، أو عن طريق تصرف صادر يشير إلى قبول الطرف المضرور للخطأ أو لتنازله عن المطالبة.

---

[27] انظر المادة (177) من قانون المعاملات المدنية التي تنص على التالي: (اذا أثبت الشخص أن الضرر قد نشأ عن سبب أجنبي لا يد له فيه كآفة سماوية أو حادث فجائي أو قوة قاهرة أو فعل الغير **أو فعل المضرور** كان غير ملزم بالتعويض ما لم يقض القانون أو الاتفاق بخلاف ذلك.) وتنص المادة (180) من قانون المعاملات المدنية العماني على التالي (إذا تعدد المسؤولون عن فعل ضار كان كل منهم مسؤولا بنسبة نصيبه فيه دون تضامن بينهم ما لم تقدر المحكمة خلاف ذلك).

3. الدفع بالسبب الأجنبي

الدفع بالسبب الأجنبي مفاده أن يثبت المدعى عليه أن الضرر الذي نشأ كان بسبب أجنبي لا يد للمدعى عليه فيه.[28] مثل حادث فجائي أو آفة سماوية أو فعل صادر من الغير، أو كان الضرر بسبب أفعال المدعي المتضرر نفسه. وكل ذلك يدفع المسؤولية عن التعويض من عاتق المدعى عليه، فلو كان موكلك هو المدعى عليه فان بإمكانك الدفع بأن الضرر كان بسبب أجنبي لا يد لموكلك فيه.

4. الدفع بالقوة القاهرة

الدفع بالقوة القاهرة مفاده استحالة تنفيذ الالتزام بسبب ظروف طارئة تجعل تنفيذ موكلك للالتزام مستحيلاً، وعليه ينفسخ العقد بين الطرفين، في أثناء كتابة هذا الكتاب كان العالم تجتاحه جائحة كورونا التي ضربت جميع أنحاء المعمورة، ولم تفرق بين غني أو فقير أو طفل أو كبير أو رجل أو امرأة. وعليه فإن جائحة كورونا مثال للقوة القاهرة التي لم يكن بالإمكان توقعها في ساعة التعاقد بين الأطراف.

ومن ثم يمكنك الدفع بالقوة القاهرة لإعفاء موكلك من الالتزام.[29] وللرد على الدفع بالقوة القاهرة يمكنك أن تدفع بعدم تحقق أحد شروطها بحق موكلك، فمثلا قد يكون الالتزام قد نشأ بعد الإعلان عن الجائحة أو أن تأثيرها على العقد يمكن تلافيه بصورة معقولة بوجود بدائل مناسبة أمام الطرف الآخر.

5. الدفع بعدم الإثبات

الأصل أن عبء الاثبات في الدعاوى غير الجزائية يقع على المدعي فيما يعرف بقاعدة "البينة على المدعي".[30] ومعنى هذه القاعدة أن من يدعي لنفسه حقاً أو شيئاً

---

[28] المادة (177) من قانون المعاملات المدنية التي تنص على التالي: (إذا أثبت الشخص أن الضرر قد نشأ عن **سبب أجنبي لا** ... الخ).

[29] المادة (177) من قانون المعاملات المدنية العماني.

[30] انظر المادة (1) من قانون الاثبات في المواد المدنية والتجارية التي تنص على: (على المدعي اثبات الالتزام وعلى المدعى عليه اثبات التخلص منه). انظر أيضا (Trachtman، 2013) صفحة 35.

فإن عليه عبء إثبات ذلك الادعاء. إن الوفاء بعبء الاثبات يقتضي أن يقوم المدعي بتقديم بينات وأدلة تثبت ما يقوله بطريقة تستند الى المنطق والاستنتاج السليم للأمور، بحيث يكون الاستنباط المنطقي من الأدلة التي يقدمها المدعي تشير إلى صحة الادعاء، واتفاق نتيجة الاستنباط المنطقي مع ادعاء المدعي. وإلا فإن الدليل يكون غير مقبول في إثبات الحق المطالب به. وعليه يمكنك الدفع بأن خصمك لم يقم بإثبات الحق الذي يدعيه، وبالتالي لم يقم بالوفاء بواجب عبء الاثبات.

كما يمكنك الدفع بأن الأدلة التي طرحها خصمك تؤدي لنتيجة تختلف عن الحق الذي يدعيه الخصم، بحيث تقدم نتيجة مغايرة للنتيجة التي يدعيها الخصم مستنداً إلى نفس الأدلة التي طرحها. إن العلاقة بين الأدلة المطروحة وبين النتيجة التي يدعيها الخصم يجب فحصها بعناية وتحليلها تحليلاً نقدياً للتعرف على أي تناقض أو نقصان أو قصور بينهما.

ووفقا للمادة (1) من قانون الاثبات في المواد المدنية والتجارية العماني الصادر بالمرسوم السلطاني رقم 2006/68 فان عبء الاثبات ينتقل الى عاتق المدعى عليه بعد أن يقوم المدعي بتقديم البينة على ادعائه فيكون على المدعى عليه اثبات التخلص من هذا الادعاء عن طريق تقديم أدلة مناهضة. وهنا إذا كنت تمثل المدعى عليه فيمكنك أن تدفع بأنه على الرغم من أن المدعي قد أثبت الدين فان موكلك قد قام بالسداد أو بالوفاء بالالتزام.

6. الدفع بقاعدة من سعى في نقض ما تم على يديه فسعيه مردود عليه

هذه القاعدة تتعلق بإغلاق الحجة أو منع الإنكار، فهي تمنع الشخص من مناقضة نفسه، بحيث تمنعه من إنكار أمر أقره أو قام به من خلال القول أو الفعل (Trachtman، 2013، صفحة 78). وقد يكون التعبير عن تلك الارادة بالسلوك أو القول أو حتى بالسكوت في موضع الحاجة إلى بيان، ومن ثم فإن هذه القاعدة تمنع صاحبها من إنكار التعبير عن الإرادة التي أظهرها سابقاً. وعليه تنص المادة (70) من قانون المدنية العماني على التالي: (**التعبير عن الإرادة يكون بالكلام أو بالكتابة أو بالإشارة المتداولة عرفاً أو باتخاذ موقف لا تدع ظروف الحال شكاً في دلالته على حقيقية المقصود منه.**)، فإذا دفع خصمك بعدم قبوله أو عدم موافقته

على أمر متنازع عليه، فيمكنك أن تدفع بقاعدة الإغلاق ببيان تصرفات أو أقوال سابقة تشير إلى عكس الادعاء الحالي.

أما إذا واجهك خصمك بهذا الدفع، فإن الرد عليه يكون من خلال بيان أن التصرف السابق لا يتعلق أو لا يعني النتيجة التي يدعيها الخصم.

7. الدفع باختلاف التفسيرات

المنازعة حول تفسير العبارات من أهم الدفوع وأكثرها أهمية بين الدفوع (المرجع السابق)، ولذلك فإن هذه الدفوع تعتبر من أهم المهارات التي عليك اتقانها، قواعد التفسير تعمل مثل القرائن أي أنها تضع قاعدة قانونية تطبقها المحكمة ما لم يثبت لها عكس هذه القاعدة، اليك أهم الدفوع فيما يتعلق بالتفسيرات:

أ) قاعدة الخاص يقيد العام

هذه القاعدة من قواعد التفسير، وتعني أن النص المتعلق بحكم خاص يسود على الحكم العام الذي يتناول مسائل عامة (Trachtman، 2013، صفحة 56). فمثلاً في قانون المعاملات المدنية العماني، فإن الفصل الثالث من القانون يعني بأحكام الشركة، وحيث أن قانون المعاملات يتناول المعاملات المدنية بمختلف أنواعها، فهو قانون عام مقارنةً بقانون الشركات التجارية العماني الذي يختص بأحكام الشركات. وعليه فإذا كان هناك نص في قانون المعاملات المدنية يتعلق بأحكام الشركة يتعارض مع نص آخر في قانون الشركات التجارية، فإن النص الذي يوجد في قانون الشركات التجارية يسود على النص الذي يوجد في قانون المعاملات المدنية، لأن قانون الشركات التجارية متخصص في أحكام الشركات. والتقدير أن المشرع بذل عناية أكبر وتركيزاً أكبر حين صاغ القانون الخاص، ومن ثم فإن القانون الخاص يستحق تقديراً أكبر من القانون العام الذي تشتت فيه انتباه المشرع بين عدد كبير من المواضيع.

لذلك يمكنك أن تدفع بأن التفسير الوارد في القانون الخاص يجب أن يسود على التفسير الوارد في القانون العام ما دام ذلك يخدم قضيتك.

(ب) قاعدة العبرة في العقود بالمقاصد والمعاني وليس بالألفاظ والمباني

هذه القاعدة الفقهية معناها أن مناط العقود هو قصد المتعاقدين من العقد ونيتهم وليس ما تفوهت به شفهاهم من ألفاظ إذا كانت هذه الألفاظ تحتمل أكثر من معنى. أي بمعنى آخر إن العبرة بالقصد الحقيقي للأطراف المتعاقدة الذي يستشف من ظروف التعامل وطريقة التعبير عن الإرادة. وبالتالي لا يجب التوقف عند الألفاظ الظاهرية، وإنما يجب النظر إلى لب المسألة. وفي هذه الحالة يفترض أن اللفظ يحتمل أكثر معنى، فان كان اللفظ واضح الدلالة فلا حاجة لإعمال هذه القاعدة. وقد لخصت الفقرة الثانية من المادة (265) من قانون المعاملات المدنية الاماراتي هذه القاعدة كالتالي: **(أما إذا كان هناك محل لتفسير العقد فيجب البحث عن النية المشتركة للمتعاقدين دون التوقف عند المعنى الحرفي للألفاظ، مع الاستهداء في ذلك بطبيعة التعامل، وبما ينبغي أن يتوفر من أمانة وثقة بين المتعاقدين وفقا للعرف الجاري للمعاملات).**[31]

وهنا يمكنك أن تدفع بأن معنى العقد يجب أن يكون بالاستناد إلى قصد المتعاقدين، ولا يجب الاعتداد بالمعنى الظاهري، لأن القصد يسود على المعنى الظاهري للكلمات.

(ت) قاعدة الشك يفسر لمصلحة المدين

قد تكون عبارات العقد تحمل أكثر من معنى، وفي هذه الحالة يعطي القانون الأولوية للتفسير الذي يصب في مصلحة الطرف الذي عليه واجب الالتزام. وعليه تنص الفقرة الأولى من المادة (166) من قانون المعاملات المدنية العماني على التالي:(يفسر الشك لمصلحة المدين). وتنص المادة (266) من قانون المعاملات المدنية الإماراتي على نص مشابه هو: (يفسر الشك

---

[31] *بوابة القوانين و التشريعات*. (أبريل 29 ,2021). (وزارة العدل بدولة الامارات العربية المتحدة، 2021)
Retrieved from
وزارة العدل بدولة الامارات العربية المتحدة:
https://elaws.moj.gov.ae/mojANGULAR/index.aspx.

في مصلحة المدين)، وعليه يمكنك أن تدفع بأن الشك في تفسير العبارات يجب أن يكون لصالح موكلك إذا كان هو المدين الملزم بتنفيذ الالتزام.

(ث) قاعدة الشك يفسر لمصلحة الطرف المذعن

عقود الإذعان هي عقود يضعها أحد طرفي العقد، وتكون في شكل شروط عامة لا تقبل المناقشة أو التفاوض، بحيث لا يكون أمام المتعاقد الآخر سوى "الإذعان" بقبولها جملة أو عدم الدخول في التعاقد. وكمثال لذلك العقود التي تضعها شركات الهاتف والكهرباء وغيرها فهي تضع بنوداً عامة لجميع من يرغب في الحصول على خدماتها وعلى الطرف الآخر أما قبولها أو عدم الحصول على الخدمة.

والسبب في ذلك يرجع إلى أن إعداد عقود منفردة لكل متعاقد هو مسألة مكلفة بسبب العدد الكبير من الزبائن الذين تتعامل معهم الشركات مقدمة الخدمة، وبالتالي تكون عملية مراجعة كل عقد والتفاوض حول شروطه غير ممكنة من الناحية العملية. ولكي يحمي القانون الطرف المذعن فقد جاء القانون بقاعدة الشك يفسر لمصلحة الطرف المذعن، فقد نصت المادة الثانية من المادة (166) من قانون المعاملات المدنية العماني على التالي: (في عقود الإذعان يفسر الشك لمصلحة الطرف المذعن). وكذلك تنص الفقرة الثانية من المادة (266) من قانون المعاملات المدنية الاماراتي على: (ومع ذلك لا يجوز أن يكون تفسير العبارات الغامضة في عقود الإذعان ضاراً بمصلحة الطرف المذعن). ويتضح ارتباط هذه القاعدة مع سابقتها وهي قاعدة أن الشك يفسر لمصلحة المدين.

وبالتالي إذا كان موكلك هو الطرف الدائن (أي الطرف الذي يتلقى محتوى الالتزام) وقام خصمك بالدفع بقاعدة أن الشك يفسر لمصلحة المدين، فيمكن أن ترد بأن موكلك هو الطرف المذعن في العقد لكي تدحض الدفع الأول والعكس صحيح.

(ج) قاعدة إعمال الكلام أولى من إهماله

ومعنى هذه القاعدة أن الأصل أن الكلمات التي ترد في النص قد جاءت بقصد إعطائها معنى معين، وأنها لم ترد اعتباطاً. حيث إن الأطراف قصدوا من إدخالها في النص أن يعطوا لها معنى خاص، ومن ثم فالأولى الاعتداد بهذه الكلمات وعدم إهمالها. هذه القاعدة ترد في المادة (260) من قانون المعاملات الإماراتي وتنص على التالي: (إعمال الكلام أولى من إهماله، ولكن إذا تعذر إعمال الكلام يهمل). وكمثال لذلك فإذا جاء في النص عبارة "منزل" ثم بعدها استخدم الأطراف عبارة "مسكن" فالأولى أن الأطراف قد قصدوا معنى يختلف عن المعنى الأول المصاحب لكلمة منزل، لأن استخدام الأطراف لعبارة مختلفة يشير إلى أنهم قد قصدوا معناً مختلفاً وإلا لكانوا قد استخدموا نفس العبارة وهي "منزل". ولكن هذه القاعدة لها استثناء، وهي أنه في حالة استحالة إعطاء معنى مختلف فإن هذا الاختلاف في المعنى يجب أن يهمل ولا يعتد به. مثلاً قد لا يكون في العقد إلا عقار واحد فقط، ولا مجال لأن يكون المتعاقدان يقصدان أي عقار آخر سواه، وفي هذه الحالة يهمل المعنى الجديد ويكون المنزل والمسكن يشيران لنفس المعنى. وعليه يمكنك أن تدفع بأصل القاعدة أو بالاستثناء الوارد فيها بحسب موقف موكلك وظروف الدعوى.

كلمة أخيرة عن الأدلة

غالبا ما يحتاج الدفع الذي تتقدم به الى دليل يسنده بحيث يتسق الدليل مع مقصد ومعنى الدفع الذي قدمته. ومن هنا تتضح أهمية ترتيب الأدلة وتنسيقها ترقيمها والتي تحدثنا عنها سابقا. ان التفكير والاعداد للأدلة يجب أن يبدأ في المراحل الأولى من مراحل الاعداد للدعوى، بل من مرحلة مقابلة الموكل وبمرور الوقت وتطور الأحداث قد تنشأ الحاجة لإعادة النظر في نوع الأدلة التي تحتاجها لتدعيم الدفوع التي تتقدم بها. ولكن الأدلة لا تقتصر على الأدلة المادية، بل قد تمتد للمراجع العلمية والبحوث وحتى الى كتب الفقه والقانون واقرارات الخصم. لذلك قد يكون من المناسب أن تركز على الدفوع التي يمكنك اثباتها بواسطة أدلة ذات دلالة قوية واضحة.

الخلاصة

في هذا الباب تناولنا تطبيقاً عملياً للمهارات الخمس يتعلق بواحد من أهم الأعمال القانونية التي يحتاجها القانوني في مهنته وهي صياغة المذكرات القانونية ومهارات التقاضي. لقد تناولنا مكونات صحيفة الدعوى وأهمية تقسيمها لأجزاء يسهل على القاضي فهمها وتبني وجهة النظر أو الدفوع التي تخدم قضية موكلك.

في البداية تحدثنا عن تحديد أطراف الدعوى والخصوم وصفاتهم وأهمية تقديم ملخص للدعوى في مقدمة الصحيفة لكي تهيئ ذهنية المحكمة لنوع هذه الدعوى. وتناولنا أساليب تقديم الوقائع في شكل سلس ومترابط مع مقاصد الدعوى التي تطرحها وتحدثنا عن إنزال القانون على الوقائع بصورة تشير الى أن القانون يدعم موقف موكلك لكي تختتم الصحيفة أو المذكرة بطلبات واضحة ومحددة تطلب من المحكمة الحكم بها.

ثم دلفنا بعد ذلك الى موضوع الدفوع القانونية وقسمناها الى قسمين رئيسيين: الدفوع الشكلية والدفوع الموضوعية. ان هذا التقسيم له تأثير جوهري في كيفية وتوقيت تقديم الدفع حيث ننصح بتقديم الدفوع الشكلية في البداية قبل الخوض في الدفوع الموضوعية لتوفير الوقت والجهد على المحكمة وللالتزام بقواعد قوانين التقاضي.

ان الدفوع المقدمة في هذا الباب جاءت هي على سبيل المثال لا الحصر، والغرض منها تقديم مرجع سريع للأدوات التي يمكن أن تستخدمها في أثناء صياغة المذكرات القانونية وبغرض تقديم خارطة طريق تختار منها ما يناسب قضية موكلك.

الباب الثاني

صياغة الاستشارات القانونية

صياغة الاستشارات القانونية

مقدمة

إن تقديم رأي قانوني أو استشاره هو لب العمل القانوني، وهو مربط الفرس في الخدمة التي يقدمها المحامي للعميل. وحيث إن المحامي هو عبارة عن خبير في القانون (Trachtman، 2013، صفحة 9)، فإن الخدمة التي يطلبها العميل هو كيف يستفيد من هذه الخبرة في حل مشكلة أو مشاكل قانونية تعترض الموكل. وبالنسبة للمحامين الذين يعملون كمستشارين داخليين للشركات والمؤسسات الحكومية وفي الدوائر والأقسام القانونية، فإن هذا الجانب من الأعمال القانونية يمثل جزءاً كبيراً من عملهم وإن اختلف الشكل الذي تقدم فيه الاستشارة من حيث الرسمية، ومن حيث الإسهاب أو الاختصار.

وفي نفس الوقت، وبازدياد تعقيدات الحياة العصرية والاضطراد في اصدار التشريعات والقوانين فقد أصبح العديد من رواد الأعمال الجدد يدركون أهمية الحصول على استشارة قانونية تمكنهم من اتخاذ القرارات المناسبة والمستندة على فهم صحيح للقانون وعواقب تطبيقه على أعمالهم وتجارتهم. لذلك فان الطلب على الاستشارات القانونية سيكون في ازدياد مضطرد. في هذا الباب سأقدم المكونات الخمس التي تشكل الاستشارة القانونية بصفة عامة، ولكن يجب مراعاة أن الغرض من الاستشارة هو تقديم حلول لمشكلة قانونية ولذلك فان الشكل الذي تقدم فيه الاستشارة لا يجب أن يكون على حساب مضمونها.

المكون الأول: المقدمة

من المفيد أن تبدأ الاستشارة بتقديم تمهيد موجز عن خلفيات المسألة القانونية، بحيث تضع السياق الذي تجري من خلاله الأحداث أمام أعين القارئ. إن المقدمة تشبه تحضير الملعب الذي ستقام عليه المباراة، ويجب أن تكون المقدمة مختصرة

ومحصورة في الأمور المتعلقة بالمسألة القانونية. إن تخطي هذه المرحلة سيحرم القارئ من الاستعداد الذهني المطلوب لاستيعاب الاستشارة القانونية التي ستطرحها عليه بشكل كامل؛ ولكن في نفس الوقت عليك عدم المبالغة بسرد تفاصيل كثيرة لا تخدم موضوع الاستشارة.

بعد المقدمة أنصح بتقديم الاستشارة في شكل ما يسمى بـ IRAC[32] وهي عبارة عن الحروف الأول من مكونات الاستشارة وهي **I**ssue, **R**ule, **A**nalysis and **C**onclusion. ان هذا التقسيم يصنع الإطار المنطقي والتسلسل المطلوب للوصول للحل القانوني المناسب.

في خلال دراستي وعملي في كندا فقد لاحظت أن طريقة IRAC تستخدم في عمليات البحث القانوني الذي يقوم به المحامي لرئيسه كما يستخدم في تدريس القانون في كليات القانون. ولذلك فقد قمت بنقل هذا الأسلوب وتطبيقه على طريقة تقديم الاستشارة القانونية بسبب الوضوح والطريقة العملية في الوصول للحلول القانونية المناسبة.

المكون الثاني: تحديد المسألة (Issue)

تحديد المسألة أو السؤال الذي ستقوم بالإجابة عليه هو مسألة أساسية، لأنك لن تستطيع تقديم استشارة ناجعة ما لم تتعرف على المشكلة بشكل واضح لا لبس فيه. وإن تحديد المسألة هي فرصة لكي تكون مع العميل في نفس الصفحة، بحيث تتاح الفرصة للعميل لتصحيح أي خطأ في فهم ما يريده العميل. ليس هناك أسوأ من بذل الوقت والجهد في تقديم استشارة مبنية على مسألة فرعية لا تهم العميل، أو تجاهل مسألة جوهرية بالنسبة للعميل، ولكنك تظنها فرعية، هنا تكمن أهمية تعريف المسألة القانونية في شكل سؤال(Nordquist, 2019) ، مثلا المسألة هي: "هل يعتبر قيام الشركة بالإعلان عن الدعوة لاجتماع الجمعية العامة للمساهمين في موقعها الالكتروني استيفاء لشروط الإعلان التي يتطلبها قانون الشركات؟ أو سؤال

[32] To know more about the IRAC concept and the difference between IRAC and CREAC, see Richard Norquist's article *IRAC Method of Legal Writing*, and visit this website: https://www.thoughtco.com/irac-legal-writing-1691083.

مثل: " هل يحق للمشتري فسخ العقد إذا كانت البضاعة موضوع العقد قد تخلف عنها الوصف الفلاني؟"

يجب أن تدلف الى لب المسألة القانونية، بحيث يكون تحديدها وتعريفها بدقة يشكل حجز الزاوية في الموضوع المطروح أمامك (Albright، Legal research, analysis, and writing، 2014، صفحة 490).

ان التحديد الدقيق للمسألة يمكن العميل من معرفة نطاق الاستشارة ويعطي المحامي الفرصة في التوسع أو التعديل إذا كان العميل يرغب في بحث مسألة أخرى خارج نطاق الاستشارة. وبالإضافة لذلك، فان التحديد يحمي المحامي من بعض أخطار المسؤولية المهنية لأنه يوضح النطاق الذي تشمله الاستشارة بحيث لا يكون عن مسائل قانونية خارج الإطار الذي حدده مسبقاً.

ملخص الرأي القانوني:

وعلى عكس السائد في كتابات القانونيين، ينصح بتقديم إجابة مختصرة للمسألة القانونية مباشرة بعد تحديد المسألة (Albright، Legal research, analysis, and writing، 2014، صفحة 493)، لأنها ستحضر ذهن القارئ للمراحل التالية، حيث إن الكتابة ليست سوى رحلة تدعو القارئ أن يرافقك فيها. إن تقديمك لملخص مقتضب لرأيك القانوني في هذه المرحلة المتقدمة من المذكرة هو مثل إعطاء سائق سيارة الأجرة عنوان المكان الذي تنوي الذهاب إليه في لحظة ركوبك للسيارة. لكن في حالة المذكرة أنت السائق وعليك إعطاء القارئ عنوان المكان الذي ستأخذه إليه من البداية، لكي يستطيع متابعة رحلة القراءة دون أن يشغل نفسه بالسؤال: الى أين تريد أن تأخذني بهذا الكلام؟

ولكن عليك طبعاً بصياغة هذا الملخص بعد الانتهاء من صياغة الاستشارة القانونية بأكملها لأنك ستتحدد الخلاصة التي توصلت اليها بعد الفراغ من صياغة الاستشارة ثم بعد ذلك عليك العودة لبداية المذكرة وصياغة الملخص.

المكون الثالث: تحديد القانون (Rule)

بعد أن حددت المسألة في شكل سؤال عليك الانتقال لتحديد القانون الذي يحكم المسألة.[33] قد يكون القانون هو نص في العقد المبرم بين الطرفين (باعتبار أن العقد هو القانون الخاص الذي يحكم العلاقة بين المتعاقدين وفقاً لقاعدة" العقد شريعة المتعاقدين"). ويقع العديد من الناس في الخلط بين مفهوم "العقد" وبين المستند المكتوب الذي يحوي شروط " العقد". في مرات عديدة قد تسمع عبارة " لكن لا يوجد عقد" تصدر من بعض المتعاقدين بينما يكون المقصود هو عدم وجود مستند مكتوب بينهم. ولكن لا ننس أن العقد يمكن اثباته من خلال التصرفات التي نفذ بها الطرفان العقد أو من خلال الشهود أو إيصالات الدفع. حيث إن وجود ورقة مكتوبة موقعة بين الطرفين ليس هو العقد نفسه، وانما هو وسيلة الاثبات لوجوده، لأن الكتابة ليست شرطاً لتكوين العقد الا في حالات استثنائية خاصة. فقد يوجد عقد ملزم بين طرفين بدون كتابة أو بدون تبادل كلمات بينهما، مثلا لنفترض أن سائق الحافلة قد توقف بحافلته في محطة معينة ضمن خط سير تلك الحافلة، وتصادف وجود شخص سنطلق عليه اسم أحمد. ان توقف سائق الحافلة في المحطة قد شكل عرضاً أو ما يسمى " بالإيجاب" قدمه السائق لأحمد ومفاده: " أنني سأقوم بنقلك من هذه المحطة لأي محطة تختارها في خط سير هذا البص حتى المحطة النهائية للحافلة إذا قمت بدفع الأجرة وهي ثلاث ريالات". فاذا قام أحمد بالركوب في الحافلة فقد انعقد العقد بين الطرفين، لأنه قد قبل الإيجاب الذي قدمه السائق، حتى وإن لم يتبادل أحمد مع السائق أي كلمة على الإطلاق، وذلك وفقاً للشروط الضمنية التي يعرفها الطرفان. فبعد ركوب أحمد للحافلة لا يملك السائق الحق في أن يطلب من أحمد النزول من الحافلة بسبب أن السائق تذكر موعد مباراة فريقه المفضل، ولا يملك أحمد أن يقول للسائق أنه كان يظن أن الرحلة مجانية. لذلك فعند النظر لوجود عقد بين الطرفين لا يجب أن تحصر البحث عن المستند المكتوب، بل لوجود عناصر العقد القانونية.

إذا كان القانون الذي يحكم المسألة هو تشريع، فعليك تحديد درجة هذا التشريع، فقد يكون التشريع قانوناً أو لائحة تنفيذية مثلا، هذا التحديد سيساعدك في الحكم في حالات التعارض، حيث يسود القانون على اللائحة ويسود الدستور على القانون

[33] انظر مهارة البحث والتحليل من هذا الكتاب.

(المقصود بالقانون هنا التشريع الذي تصدره الهيئة التشريعية مثل مجلس الشعب أو مجلس الشورى، بينما يقصد باللائحة التشريع الذي تصدره السلطة التنفيذية مثل الوزارة المختصة مثلا). من المهم أيضاً تحديد القوانين التي تتقاطع مع القانون الأصلي الذي حددته سواء كان هذا التقاطع يخلق استثناءات من القاعدة أو يخفف أو يعدل من طبيعتها بأي صورة كانت.

كما ذكرنا سابقاً ففي دول القانون العام (common law) فان القانون لا يقتصر على التشريعات، بل يشمل أيضا السوابق القضائية التي ترسيها المحاكم حيث تكون للسابقة القانونية نفس الإلزام القانوني للتشريع. بل إن الأصل في دول القانون العام هو السوابق القضائية أو ما يسمى (judge-made law) لأنها سبقت التشريع. وعلى الرغم من الاختلاف الواضح بين نظام القانون المدني اللاتيني الذي تتبعه كل الدول العربية (ما عدا السودان لحد كبير) وبين نظام القانون العام، فإن السنوات الأخيرة شهدت تقارباً مضطردا بين النظامين، حيث تتجه دول نظام القانون العام الى تضمين السوابق القضائية في تشريعاتها، وتتجه دول نظام القانون المدني الى إعطاء مزيد من القوة القانونية للمبادئ التي ترسيها المحاكم العليا لديها، وبذلك يتجه كل نظام في اتجاه الآخر.

المكون الرابع: التحليل (Analysis)

بعد أن حددت المسألة القانونية التي يرغب الموكل في حلها، ثم حددت القانون الذي يحكمها، عليك الانتقال لمرحلة التحليل القانوني بغرض تقديم الحلول. في هذه الفقرة من المذكرة عليك إنزال الوقائع المتعلقة بالمسألة القانونية على القاعدة أو القواعد القانونية التي تحكمها للتعرف على موضع المسألة من حيث انطباق القانون (Albright، Legal research, analysis, and writing، 2014، صفحة 499).

من المهم أن تدرك أن العميل يريد حلاً عملياً للمشكلة يمكن تطبيقها ولا تهمه "الفذلكة" القانونية، لذلك يجب أن تكون العبارات مبسطة بدون تفاصيل قانونية مطولة. كما يجب استخدام عبارات ولغة تتناسب مع مكانة الموكل ودرجة استيعابه للموضوع. فإذا كان الموكل هو مستشار قانوني داخلي في شركة فسيرحب بالتفاصيل القانونية، ولا بأس من استخدام المصطلحات القانونية لأنها ستختصر

الوقت وتوصل المعنى بصورة أسهل. ولكن ذلك لا ينطبق في حالة العميل غير القانوني، حيث ستصيبه التفاصيل والمصطلحات القانونية بالإرباك والحيرة.

من المهم تقديم إجابات واضحة ومحددة قدر الإمكان، بدلاً من تقديم عبارات فضفاضة لا تشير إلى رأي محدد، حيث إن ذلك لا يخدم مصلحة العميل في شيء. ولكن في الواقع هذه المسألة ليست سهلة في كل الحالات ولذلك في حالة كون القانون غير واضح أو يحمل عدة تفسيرات بحيث لم يستقر القانون على إجابة محددة، فعليك الإشارة بذلك صراحة. كما يجب أن يترجم التحليل القانوني إلى خيارات محددة يمكن تنفيذها، مع بيان السلبيات والإيجابيات لكل خيار. وهنا عليك تذكر أن المحامي ليس صاحب القرار، بل ينحصر واجبه في أن يمكن الموكل من إصدار قرار مبني على المعرفة الصحيحة بنتائجه القانونية (Rylance، Writing and Drfating in Legal Practice، 2012، صفحة 101) ، فلو اختار العميل ما يخالف النصيحة القانونية، فإن المحامي يكون قد أدى واجبه، إذا كان قد قدم بياناً قانونياً لنتائج مثل ذلك الاختيار، وعليه تنفيذ اختيارات العميل ما لم تتعارض مع القانون أو أخلاقيات المهنة، وإن لم يوافق عليها هو بصورة شخصية. وفي الواقع العملي قد تكون هذه المسألة تشوبها صعوبات عديدة فقد يشعر المحامي بأن موكله لا يثق به إذا اختار الموكل تجاهل نصيحة المحامي مما قد يعوق العمل بين الطرفين.

ولكن على المحامي الانتباه لحدود ونطاق الاستشارة القانونية بحيث لا يندفع لتقديم نصائح خارج نطاق خبرته القانونية ونطاق ممارسته ولذلك فلا بأس من أن يقوم المحامي باستشارة محام آخر متخصص في المجال القانوني المعين (وفي بعض الحالات يكون ذلك واجباً على المحامي).

المكون الخامس: الخلاصة (Conclusion)

المكون الأخير في الاستشارة هو الخلاصة. ان تقديم عدة خيارات عملية لا يكفي، بل عليك أن تميز بينها وتمحصها لتوصي العميل بتبني أحد الخيارات، مع تقديم أسباب منطقية لتبني ذلك الخيار (Rylance، 2012، صفحة 101). قد تتمثل الخلاصة في ضرورة إجراء مزيد من البحث في مسألة معينة أو الاستعانة بخبير

أو التفاوض بشأن معين، لكن في النهاية يجب أن تكون الخلاصة في شكل حل عملي، لأن ذلك هو ما يطلبه العميل من الاستشارة.

لقد سبق أن ذكرت أنك ستقوم بصياغة ملخص التوصية الذي قدمته ضمن المكون الأول بعد أن تكون قد وصلت للمكون الخامس، ولكن عليك مراجعة ذلك للتأكد من التناسق بين الملخص ومكون الخلاصة لأهميته.

الخلاصة النهائية

تشكل المكونات الخمسة العناصر الأساسية التي تحتويها مذكرة الاستشارة القانونية وللتعرف على خطوات الصياغة يمكن الرجوع للجزء الأول من هذا الكتاب. لكن علينا الانتباه أن لكل مقام مقال، إن هذا الطرح لن يتناسب مع جميع الاستشارات المقدمة في جميع المواقف؛ بل يعتمد ذلك بصفة أساسية على ماهية المسألة ودرجة تعقيدها وظروف العميل نفسه، لكن يظل الإطار العام واحداً وهو ضرورة أن تمثل الاستشارة حلاً عمليا لمشكلة قانونية يواجهها العميل بغض النظر عن الشكل الذي قدمت فيه الاستشارة.

بالنسبة للمستشارين الداخليين للشركات فان تقديم الاستشارات القانونية يشكل جزءاً من العمل اليومي وقد تتنوع الاستشارات التي يقدمونها بحسب طبيعة عمل وثقافة الشركة. وقد يكون تقديم الاستشارة بصورة أقل رسمية أو حتى شفاهه، ولكن في كل الأحوال فان إيجاد إطار مرجعي بصورة منظمة يساعد في تقديم استشارة فاعلة وقيمة ويساعد المستشار على التفكير بصورة أكثر تنظيما واحترافية.

نمازج صحيفة دعوى

في هذا الجزء من الكتاب أقدم لك نمازج يمكنك استخدامها في صياغة صحف الدعاوى التي تقدمها للمحاكم (أو هيئات التحكيم). هذه النماذج يمكن تعديلها بالحذف والإضافة لتناسب ظروف وطبيعة الملف الذي تعمل عليه والوقائع الخاصة بكل حالة.

نموذج مطالبة بدين تجاري

أمام محكمة [اسم المحكمة]

الدائرة التجارية

التاريخ: .../.../...... م

رقم الإشارة: ....

فيما بين: شركة التجارة المربحة ش م م (المدعية)

العنوان: [اذكر عنوان الشركة]

يمثلها [اكتب اسم مكتب المحاماة وعنوانه ان وجد]

ضد: مؤسسة التوزيع ش م م (المدعى عليها)

العنوان: [اذكر عنوان المؤسسة]

يمثلها: [اذكر اسم مكتب المحاماة وعنوانه ان وجد]

فضيلة قاضي المحكمة الابتدائية الموقر

[اسم المحكمة الرسمي]

بعد السلام عليكم ورحمة الله وبركاته

الموضوع: صحيفة دعوى للمطالبة بمديونية قدرها 100 ألف درهم عبارة عن ثمن بضاعة لم يتم سداد ثمنها

ملخص الدعوى

أقيمت هذه الدعوى للمطالبة بثمن بضاعة قيمتها 100 ألف درهم أماراتي قامت الشركة المدعية بتسليمها للمؤسسة المدعى عليها وفقا لعقد بيع صحيح، ولكن المؤسسة فشلت في سداد الثمن. وعليه تطالب الشركة بقيمة البضاعة بالإضافة للتكاليف والمصروفات بمبلغ 15 ألف درهم.

[ملحوظة: هذه الفقرة اختيارية، ولكني أنصح بها خاصة اذا كانت الدعوى تتعلق بموضوع معقد لأنها تمهد الأرضية لفهم الدعوى و من ثم تقبل وجهة النظر التي تنادي بها.]

وقائع الدعوى

1. الشركة المدعية تعمل في مجال بيع قطع غيار السيارات في مدينة الأحلام وهي مسجلة وفقا للأصول كشركة محدودة المسؤولية.

2. بتاريخ 1 يناير 2022 طلبت المؤسسة المدعى عليها من الشركة شراء قطع غيار للسيارات عن طريق طلب شراء أرسلته المؤسسة للشركة المدعية.
مستند ادعاء رقم 1 – طلب شراء من المؤسسة
3. بتاريخ 4 يناير 2022 قامت الشركة المدعية بإرسال فاتورة توضح سعر البضاعة ونوعها وزمان التسليم وطريقته وتسلمتها المؤسسة في نفس اليوم وقبلت العرض الذي قدمته الشركة وحررت بذلك رسالة بالقبول بشروط العرض.
مستند ادعاء رقم 2 – فاتورة عرض الأسعار المقدم من الشركة المدعية
مستند ادعاء رقم 3- رسالة المؤسسة بقبول عرض الأسعار والموافقة عليه
4. بناء على تبادل العرض والقبول بين الطرفين يتضح انعقاد العقد وعليه قامت الشركة المدعية بتسليم البضاعة المتفق عليها لمخازن المؤسسة المدعى عليها في تاريخ 10 يناير 2022 ووقعت المؤسسة المدعى عليها باستلام البضاعة وفقا لمواصفات فاتورة عرض الأسعار.

مستند ادعاء رقم 4 – إقرار المؤسسة باستلام البضاعة

5. قامت الشركة المدعية بمطالبة المؤسسة بسداد ثمن البضاعة، ولكن المؤسسة فشلت في السداد وظلت تماطل في الدفع رغم المطالبات المتكررة.

6. بعد مضي شهر من التسليم أي بتاريخ 10 فبراير 2022 قامت الشركة المدعية بإنذار المؤسسة مطالبة بالسداد، ولكن المؤسسة المدعى عليها رفضت السداد.

مستند ادعاء رقم 5 – الإنذار الذي سلمته الشركة المدعية للمؤسسة وعليه توقيع المؤسسة بالاستلام

[**ملحوظة**: قم بسرد وقائع الدعوى الجوهرية التي تشرح طبيعة العلاقة بين الطرفين والأحداث المتعلقة بالعقد أو سبب نشأة الدين. مثلا قم باختيار الوقائع التي تشير الى نشأة الدين لصالح موكلك وكيف قام موكلك بتنفيذ ما عليه من التزامات في حين خالفت المدعى عليها العقد].

إنزال القانون على الوقائع

7. يتضح مما سبق ذكره من الوقائع توافر جميع أركان العقد من ايجاب قدمته الشركة وقبول عرضته المؤسسة، وعليه انعقد العقد بين الطرفين. وحيث أن القانون والفقه قد استقرا على قاعدة "العقد شريعة المتعاقدين"، وحيث أن الفقرة (5) من العقد قد نصت على إلزام المؤسسة بسداد مبلغ 100 ألف درهم كثمن للبضاعة حيث جاء فيها (... وتلتزم المؤسسة بسداد مبلغ 100 ألف درهم للشركة في اليوم التالي لاستلام البضاعة)، عليه يتضح أن ذمة المؤسسة قد انشغلت بمبلغ المديونية التي نصت عليها الفقرة (5) من العقد.
8. لقد أقرت المؤسسة بالمديونية من خلال مستند الادعاء رقم (4) الذي يوضح استلامها للبضاعة وقد أرفقت الشركة المدعية أدلة الادعاء اللازمة التي تثبت نشأة الالتزام. وعليه تلتمس الشركة المدعية الحكم بإلزام

المدعى عليها بما ألزمت به نفسها وفقا للمادة (...) من قانون المعاملات المدنية.

9. في سبيل المطالبة بالمديونية تكبدت المدعية مصروفات قانونية وقضائية بمبلغ 15 ألف درهم.

مستند ادعاء رقم 6 – فاتورة المصروفات القانونية بمبلغ 15 ألف درهم

[**ملحوظة**: عليك بتقديم تحليل قانوني مستند على الوقائع يخلص الى أن القانون يدعم مطالبة موكلك وتؤيد ذلك بأدلة من الوقائع مع ربطها بالقانون الذي يحكمها في تسلسل منطقي.]

الطلبات

تلتمس المدعية من المحكمة الموقرة الحكم لها بالتالي:

1. إلزام المؤسسة المدعى عليها بسداد مبلغ 100 ألف درهم وفقا للعقد بين الطرفين.
2. إلزام المؤسسة المدعى عليها بسداد مبلغ المصروفات وهي 15 ألف درهم.

[**ملحوظة**: بعد التشاور مع موكلك عليك بتقديم طلبات واضحة ومحددة للمحكمة.]

مع خالص الشكر والاحترام

[اسم المحامي واسم المكتب]

ع/ الشركة المدعية

حافظة المستندات المؤيدة للدعوى

رقم	اسم المستند	دلالته في الاثبات
1	مستند ادعاء رقم 1 – طلب شراء من المؤسسة	اثبات عناصر العقد بين الطرفين
2	مستند ادعاء رقم 2 – فاتورة عرض الأسعار المقدمة من الشركة المدعية	اثبات ركن الايجاب في العقد
3	مستند ادعاء رقم 3- رسالة المؤسسة بقبول عرض الأسعار والموافقة عليه	اثبات انعقاد العقد
4	مستند ادعاء رقم 4 – إقرار المؤسسة باستلام البضاعة	اثبات التزام المؤسسة المدعى عليها بالمديونية وهي 100 ألف درهم
5	مستند ادعاء رقم 5 – الإنذار الذي سلمته الشركة المدعية للمؤسسة وعليه توقيع المؤسسة بالاستلام	اثبات قيام الشركة بإنذار المؤسسة
6	مستند ادعاء رقم 6 – فاتورة المصروفات القانونية بمبلغ 15 ألف درهم	اثبات المطالبة بالتعويض عن المصروفات

نموذج دعوى مطالبة بسداد أجرة

أمام محكمة [اسم المحكمة]

الدائرة [اسم الدائرة المختصة]

التاريخ: .../.../...... م

رقم الإشارة: ....

فيما بين: شركة ملاك العقارات ش م م (المدعية)

العنوان: [اذكر عنوان الشركة]

يمثلها [اكتب اسم مكتب المحاماة وعنوانه ان وجد]

ضد: مؤسسة التوزيع ش م م (المدعى عليها)

العنوان: [اذكر عنوان المؤسسة]

يمثلها: [اذكر اسم مكتب المحاماة وعنوانه ان وجد]

فضيلة قاضي المحكمة الابتدائية الموقر

[اسم المحكمة الرسمي]

بعد السلام عليكم ورحمة الله وبركاته

الموضوع: صحيفة دعوى ايجارات للمطالبة بمبلغ 30 ألف درهم عبارة عن أجرة مستحقة لثلاثة أشهر

ملخص الدعوى

أقيمت هذه الدعوى للمطالبة بأجرة قدرها 30 ألف درهم أماراتي تمثل أجرة ثلاثة أشهر. قامت الشركة المدعية بتأجير شقة للمؤسسة المدعى عليها وفقاً لعقد ايجار صحيح وبأجرة شهرية قدرها 10 ألف درهم شهرياً ولكن المؤسسة فشلت في سداد أجرة ثلاثة أشهر. وعليه تطالب الشركة بقيمة الأجرة بالإضافة للتكاليف والمصروفات بمبلغ 5 ألف درهم.

وقائع الدعوى

1. الشركة المدعية تعمل في مجال تأجير العقارات في مدينة الأحلام وهي مسجلة وفقاً للأصول كشركة محدودة المسؤولية.

2. بتاريخ 1 يناير 2022 طلبت المؤسسة المدعى عليها من الشركة تأجير عقار عبارة عن شقة في مبنى تملكه الشركة.
مستند ادعاء رقم 1 – عقد الايجار المبرم بين الطرفين

3. تسلمت المؤسسة المدعى عليها الشقة موضوع العقد وقامت باستخدامها كمكاتب إدارية للمؤسسة المدعى عليها. ولكن بعد مضي عدة أشهر توقفت المؤسسة المدعى عليها عن سداد أجرة الشقة موضوع العقد. بتاريخ 4 يناير 2022 قامت المدعية بإرسال فاتورة توضح المبالغ المستحقة السداد.
مستند ادعاء رقم 2 – مستند استلام المؤسسة المدعى عليها للشقة المؤجرة
مستند ادعاء رقم 3 – فاتورة المطالبة بالأجرة المستحقة في ذمة المؤسسة المدعى عليها
4. قامت الشركة المدعية بمطالبة المؤسسة بسداد ثمن الأجرة، ولكن المؤسسة فشلت في السداد وظلت تماطل في الدفع رغم المطالبات المتكررة.
5. بتاريخ 10 فبراير 2022 قامت الشركة المدعية بإنذار المؤسسة مطالبة بالسداد، ولكن المؤسسة المدعى عليها رفضت السداد.

مستند ادعاء رقم 4 – الإنذار الذي سلمته الشركة المدعية للمؤسسة وعليه توقيع المؤسسة بالاستلام

[**ملحوظة**: قم بسرد وقائع الدعوى الجوهرية التي تشرح طبيعة العلاقة بين الطرفين والأحداث المتعلقة بالعقد أو سبب نشأة الدين. مثلا قم باختيار الوقائع التي تشير الى نشأة الدين لصالح موكلك وكيف قام موكلك بتنفيذ ما عليه من التزامات في حين خالفت المدعى عليها العقد].

إنزال القانون على الوقائع

6. يتضح مما سبق ذكره من الوقائع توافر جميع أركان عقد الايجار من خلال ايجاب قدمته الشركة وقبول عرضته المؤسسة، وعليه انعقد العقد بين الطرفين. وحيث أن القانون والفقه قد استقرا على قاعدة "العقد شريعة المتعاقدين"، وحيث أن الفقرة (7) من العقد قد نصت على الزام المؤسسة بسداد مبلغ 10 ألف درهم عبارة عن الأجرة الشهرية، حيث جاء فيها (... وتلتزم المؤسسة بسداد مبلغ 10 ألف درهم للشركة كأجرة شهرية تدفع في اليوم الأول من الشهر الميلادي)، عليه يتضح أن ذمة المؤسسة قد انشغلت بمبلغ المديونية التي نصت عليها الفقرة (7) من العقد.
7. لقد أقرت المؤسسة بالمديونية من خلال مستند الادعاء رقم (2) الذي يوضح استلامها للعقار وقد أرفقت الشركة المدعية أدلة الادعاء اللازمة التي تثبت نشأة الالتزام. وعليه تلتمس الشركة المدعية بإلزام المدعى عليها بما ألزمت به نفسها وفقا للمادة (...) من قانون المعاملات المدنية.
8. في سبيل المطالبة بالمديونية تكبدت المدعية مصروفات قانونية وقضائية بمبلغ 5 ألف درهم.

مستند ادعاء رقم 5 – فاتورة المصروفات القانونية بمبلغ 5 ألف درهم

[**ملحوظة**: عليك بتقديم تحليل قانوني مستند على الوقائع يخلص الى أن القانون يدعم مطالبة موكلك وتؤيد ذلك بأدلة من الوقائع مع ربطها بالقانون الذي يحكمها في تسلسل منطقي.]

الطلبات

تلتمس المدعية من المحكمة الموقرة الحكم لها بالتالي:

1. إلزام المؤسسة المدعى عليها بسداد مبلغ 30 ألف درهم وفقا للعقد بين الطرفين.
2. إلزام المؤسسة المدعى عليها بسداد مبلغ المصروفات وهي 5 ألف درهم.

[**ملحوظة**: بعد التشاور مع موكلك عليك بتقديم طلبات واضحة ومحددة للمحكمة.]
مع خالص الشكر والاحترام
[اسم المحامي واسم المكتب]
ع/ الشركة المدعية

حافظة المستندات المؤيدة للدعوى

رقم	اسم المستند	دلالته في الاثبات
1	مستند ادعاء رقم 1 – عقد الايجار المبرم بين الطرفين	اثبات عناصر العقد بين الطرفين
2	مستند ادعاء رقم 2 – مستند استلام المؤسسة المدعى عليها للشقة	اثبات انعقاد العقد
3	مستند ادعاء رقم 3 – فاتورة المطالبة بالأجرة المستحقة في ذمة المؤسسة المدعى عليها	اثبات التزام المؤسسة المدعى عليها بالمديونية وهي 30 ألف درهم
4	مستند ادعاء رقم 4 – الإنذار الذي سلمته الشركة المدعية للمؤسسة وعليه توقيع المؤسسة بالاستلام	اثبات قيام الشركة بإنذار المؤسسة
5	مستند ادعاء رقم 6 – فاتورة المصروفات القانونية بمبلغ 5 ألف درهم	اثبات المطالبة بالتعويض عن المصروفات

نموذج دعوى عمالية

أمام محكمة [اسم المحكمة]

الدائرة العمالية

التاريخ: .../.../...... م

رقم الإشارة: ....

فيما بين: الأستاذة المجتهدة (المدعية)

يمثلها [اكتب اسم مكتب المحاماة وعنوانه ان وجد]

ضد: مؤسسة التوزيع ش م م (المدعى عليها)

العنوان: [اذكر عنوان المؤسسة]

يمثلها: [اذكر اسم مكتب المحاماة وعنوانه ان وجد]

فضيلة قاضي المحكمة الابتدائية الموقر

[اسم المحكمة الرسمي]

بعد السلام عليكم ورحمة الله وبركاته

الموضوع: صحيفة دعوى عمالية للمطالبة بمبلغ 15 ألف درهم عبارة عن تعويض عن فصل تعسفي

ملخص الدعوى

أقيمت هذه الدعوى للمطالبة بالتعويض عن الفصل التعسفي وذلك عبارة عن مبلغ 15 ألف درهم أماراتي تمثل راتب ثلاثة أشهر. قامت المؤسسة المدعى عليها بتوظيف المدعية في وظيفة سكرتيرة إدارة براتب شهري قدره 5 ألف درهم شهريا وفقاً لعقد عمل صحيح. ولكن المؤسسة أنهت عقد العمل قبل أوانه فاستحقت المدعية راتب ثلاثة أشهر. وعليه تطالب المدعية بقيمة الأجرة بالإضافة للتكاليف والمصروفات بمبلغ 5 ألف درهم.

وقائع الدعوى

1. المؤسسة المدعى عليها تعمل في مجال تأجير العقارات في مدينة الأحلام وهي مسجلة وفقاً للأصول كشركة محدودة المسؤولية.

2. بتاريخ 1 يناير 2022 قامت المؤسسة المدعى عليها بتوظيف المدعية في وظيفة سكرتيرة تنفيذية بأجرة شهرية قدرها 5 ألف درهم شهرياً لمدة سنة.
   مستند ادعاء رقم 1 – عقد العمل المبرم بين الطرفين

3. باشرت المدعية عملها مع المؤسسة المدعى عليها. وقبل انتهاء مدة العقد بثلاثة أشهر قامت المدعى عليها بفصل المدعية عن العمل بالمخالفة لأحكام العقد والقانون.
4. بتاريخ 10 فبراير 2022 قامت المدعية بإنذار المؤسسة مطالبة بالتعويض، ولكن المؤسسة المدعى عليها رفضت السداد. وعليه قامت المدعية بتسجيل شكوى عمالية ضد المؤسسة المدعى عليها في مكتب العمل المختص بالشكاوى في مدينة الأحلام.

   مستند ادعاء رقم 2 – خطاب انهاء عقد عمل المدعية

   مستند ادعاء رقم 3 – طلب الشكوى الذي قدمته المدعية

[**ملحوظة**: قم بسرد وقائع الدعوى الجوهرية التي تشرح طبيعة العلاقة بين الطرفين والأحداث المتعلقة بالعقد أو سبب نشأة الالتزام القانوني. مثلا قم باختيار الوقائع التي تشير الى نشأة الدين لصالح موكلك وكيف قام موكلك بتنفيذ ما عليه من التزامات في حين خالفت المدعى عليها العقد].

إنزال القانون على الوقائع

5. يتضح مما سبق ذكره من الوقائع توافر جميع أركان عقد العمل من خلال العقد الموقع بين الطرفين. وحيث أن القانون والفقه قد استقرا على قاعدة العقد شريعة المتعاقدين، وحيث أن الفقرة (3) من العقد قد نصت على التزام المؤسسة بسداد مبلغ 5 ألف درهم عبارة عن الراتب الشهري، حيث جاء فيها (... وتلتزم المؤسسة بسداد مبلغ 5 ألف درهم للموظفة كراتب شهري يدفع في اليوم الأول من الشهر الميلادي). وحيث أن مدة العقد هي سنة كاملة وقد أنهت المدعى عليها العقد قبل حلول الأجل المتفق عليه تكون المدعى عليها متعسفة وتستحق المدعية أجرة المدة المتبقية من عقد العمل وهي ثلاثة أشهر.
6. عليه يتضح أن ذمة المؤسسة قد انشغلت بمبلغ المديونية التي نصت عليها الفقرة (3) من العقد. لقد أرفقت المدعية أدلة الادعاء اللازمة التي تثبت نشأة الالتزام. وعليه تلتمس المدعية بإلزام المؤسسة المدعى عليها بما ألزمت به نفسها وفقا للمادة (...) من قانون العمل.

7. في سبيل المطالبة بالمديونية تكبدت المدعية مصروفات قانونية وقضائية بمبلغ 5 ألف درهم.

مستند ادعاء رقم 4 – فاتورة المصروفات القانونية بمبلغ 5 ألف درهم

[**ملحوظة**: عليك بتقديم تحليل قانوني مستند على الوقائع يخلص الى أن القانون يدعم مطالبة موكلك وتؤيد ذلك بأدلة من الوقائع مع ربطها بالقانون الذي يحكمها في تسلسل منطقي.]

الطلبات

تلتمس المدعية من المحكمة الموقرة الحكم لها بالتالي:

1. إلزام المؤسسة المدعى عليها بسداد مبلغ 15 ألف درهم كتعويض عن الفصل التعسفي وفقا للعقد بين الطرفين.

2. إلزام المؤسسة المدعى عليها بسداد مبلغ المصروفات وهي 5 ألف درهم.

[**ملحوظة**: بعد التشاور مع موكلك عليك بتقديم طلبات واضحة ومحددة للمحكمة.]

مع خالص الشكر والاحترام

[اسم المحامي واسم المكتب]

ع/ الشركة المدعية

حافظة المستندات المؤيدة للدعوى

رقم	اسم المستند	دلالته في الاثبات
1	مستند ادعاء رقم 1 – عقد العمل المبرم بين الطرفين	اثبات عناصر العقد بين الطرفين
2	مستند ادعاء رقم 2 – خطاب انهاء عقد عمل المدعية	اثبات الفصل التعسفي واخلال المدعى عليها
3	مستند ادعاء رقم 3 – طلب الشكوى الذي قدمته المدعية	اثبات التزام المدعية بإجراءات قانون العمل
4	مستند ادعاء رقم 4 – فاتورة المصروفات القانونية بمبلغ 5 ألف درهم	اثبات المطالبة بالتعويض عن المصروفات

قائمة المراجعة قبل تقديم صحيفة الدعوى

المرحلة الأولى البحث القانوني

1. **تحديد الوقائع**: الوقائع الجوهرية المتعلقة بالملف
    - كيف حصلت على هذه المعلومات؟
    - إذا كان مصدر الوقائع هو العميل، فما هو البحث المستقل الذي يمكن أن تستخدمه للتأكد من المامك بجميع النواحي المتعلقة بالوقائع؟
    - كيف يمكنك أن ترشد العميل الى نوعية الأدلة التي تخدم قضيته؟

2. **تحديد القانون الواجب التطبيق:** حدد القانون الذي يحكم الوقائع التي قمت بتحديدها
    - ما هي درجة هذا القانون (تشريع/دستور/ لائحة تنفيذية ...الخ)؟
    - ما هي القوانين الأخرى التي يمكن أن تتقاطع مع هذا القانون؟ كيف يمكنك الاستفادة من هذا التقاطع في بناء المستند الذي تعمل عليه؟

3. **إنزال القانون على الوقائع:** حدد القاعدة/ القواعد القانونية التي يطرحها القانون
    - ما هي أركان هذه القاعدة/ القواعد؟ هل تشير الوقائع الى تحقق أركان القاعدة؟ كيف يمكنك الاستفادة من ذلك في صياغة الصحيفة

4. ارسم مخططا للدفوع التي تنوي استخدامها مع رسم خطة للتعامل مع الدفوع/ الأدلة المناهضة

المرحلة الثانية: أعمال المراجعة

5. هل قمت بقراءة المسودة بصوت مسموع لكي تتعرف على مواقع التناغم ومواقع النشاز/ الخلل؟

6. هل قمت بمراجعة الخطة التي أعددتها في مرحلة البحث والتحليل مع المسودة التي صغتها؟ هل قمت بالخروج عن الخطة؟ إذا كان الحال كذلك، ما هي الأسباب؟

7. هل قمت بتغطية جميع العناصر المضمنة في الخطة؟

المرحلة الثالثة: مراجعة التفاصيل

8. هل قمت بمراجعة التفاصيل للتأكد من صحتها (مثل الأسماء/ المبالغ/ التواريخ/الأرقام)؟

9. هل لازال القانون الذي استندت عليه في عملية البحث القانوني هو القانون الساري حاليا؟ هل حدثت أية تعديلات جديدة؟

10. هل هناك قوانين أخرى تتقاطع مع القانون الأساسي الذي يحكم المسودة؟ كيف استفدت من هذه التقاطعات في حال وجودها؟

11. هل قمت بمراجعة المستند للتأكد من خلوه من الأخطاء الاملائية والنحوية؟

12. ما هي الوسيلة الالكترونية التي تستخدمها للمراجعة؟
13. هل تأكدت أن الوسيلة الالكترونية التي استخدمتها لم تغفل عن كلمات صحيحة من ناحية قواعد الاملاء، ولكنها ليست الكلمات المقصودة؟
14. هل قمت بعرض المسودة على صديق أو شخص آخر لكي يعطيك رأيا مستقلا؟
15. هل وضحت لهذا الشخص النواحي التي ترغب أن تحصل فيها على رأيه ومتى تتوقع الحصول على الرد؟
16. هل قمت باستلام ومراجعة الملاحظات التي حصلت عليها؟
17. إذا كنت قد قررت عدم قبول أي من الملاحظات التي حصلت عليها فهل كان هذا القرار مبنيا على أسباب منطقية أم أسباب منبعها العاطفة؟
18. هل قمت بتكرار عمليات المراجعة؟

الخاتمة النهائية

لقد سعدت بصحبتك في هذا الكتاب ضمن هذه الرحلة التي سبرنا فيها أغوار المهارات الخمس للصياغة الاحترافية التي تعدك لتحقيق ما تصبو اليه في حياتك المهنية، ثم سرنا معاً في أرجاء الجزء الثاني من الكتاب لنتعرف على أهم تطبيقات المهارات الخمس في الحياة العملية.

لقد أصبحت الآن متسلحاً بأدوات الصياغة القانونية الاحترافية واستراتيجياتها بعد أن أكملت هذه الرحلة الاستثنائية في المعرفة. لقد أصبحت الآن ضمن فئة النخبة التي تخطط للارتقاء بمهنة القانون والى التحكم في مستقبلها المهني، وأحب أن أجزي لك التهنئة على اصرارك وعلى اجتهادك.

لقد كانت رحلة رائعة وملهمة وأرجو أن تكون قد استمتعت بها أيضاً.

كيف يمكنك الاستفادة من هذه المهارات لزيادة النجاح المهني؟

بالإضافة للاستخدامات المعروفة للمهارات التي تعلمتها في هذا الكتاب، فاني أدعوك لأن تكون منفتحاً على المجالات غير التقليدية التي يمكنك فيها استخدام مهاراتك في الكتابة، بحيث تكون أكثر ابداعاً وابتكاراً، وتفكر خارج الصندوق. السر في النجاح المهني يكمن في زيادة نطاق الفائدة من العمل الذي تقدمه، أي زيادة القيمة من خلال النوع (زيادة جودة صياغة المستند) ومن حيث الكم (زيادة عدد المستفيدين من خدماتك). في هذا المجال يمكن تقسيم هذا العمل إلى قسمين:

1. استخدام مهاراتك للترقي ضمن عملك الحالي:

بإتقانك للمهارات الخمس فإنك تفتح لنفس أبواب التقدم المهني داخل مؤسستك أو شركتك أو مكتب المحاماة الذي تعمل فيه. ستصبح أكثر قدرة على إتقان المهام الموكلة إليك، وستزداد جودة المخرجات التي تقدمها إلى مؤسستك، وستزداد ثقة رؤسائك في العمل والأقسام التي تتعامل معها لأنك تقدم مستندات

متقنة الصياغة، وتساعدهم في حل مشكلاتهم القانونية بسرعة وفاعلية. وبزيادة الثقة ستوكل إليك مهام أكبر ومسؤوليات أعظم في إدارة فريق العمل، مما سيعمل على تحقيق الإشباع المادي والمعنوي. وكلما تحسن أداؤك سيزداد العائد الذي تحصل عليه مما يشجعك على مزيد من التحسن الذي بدوره سيؤدي لمزيد من العائد، ومن ثم تكون في حلقة متصلة من النجاحات المتتالية، وسيزداد شغفك واهتمامك بالكتابة وإتقانها.

وعندما تلاحظ التقدم الذي تحرزه سيحفزك ذلك على تجربة مجالات جديدة في العمل القانوني أو خارج العمل القانوني، عن طريق الانخراط مع الأقسام الأخرى في المشاريع التي تعمل فيها الشركة. فمثلا يمكنك مساعدة موظفي الإدارة المالية على صياغة نماذج مستندات بشكل يلبي احتياجاتهم، أو مساعدة قسم الموارد البشرية في إعداد عقود التوظيف أو سياسات الشركة. فكلما زدت نطاق القيمة التي تقدمها كلما ازدادت قيمتك داخل المؤسسة، وفتحت أبوب التقدم المهني أمامك.

2. استخدام مهارات الكتابة خارج نطاق عملك

بإتقانك للمهارات الخمس يمكنك نقل المعرفة التي تراكمت لديك (من خلال عملك أو من خلال هواياتك أو من أي طريق آخر) الى أشخاص آخرين لا يملكون المعرفة التي تحملها. فقد تكون مررت بتجارب عملية أو مشكلات وتوصلت لحلول لهذه المشكلات أثناء تعاملك معها وبالتالي فان نشر هذه المعرفة سيفيد فئتين من الناس:

1. الفئة التي لا تملك المعرفة التي حصلت عليها.
2. الفئة التي لن تستطيع الحصول على هذه المعرفة الا بمرور وقت، ومن ثم فإنك توفر عليهم الزمن في التعلم من خلال المعرفة التي تطرحها الآن.

فحتى ان لم تكن متخصصاً في فرع معين من فروع القانون، فإن المعرفة التي تراكمت لديك من خلال التجارب العملية أو المشكلات التي استطعت حلها سيكون لها قيمة إذا قدمتها بطريقة استراتيجية. ولحسن الحظ فإن الأنترنت ووسائل

التواصل الاجتماعي توفر لك المنصات اللازمة لتقديم مثل هذه المعرفة للعالم، ابتداءً من صفحتك على الفيسبوك أو لينكدان، ومروراً بموقعك الالكتروني، وانتهاءً بتكوين كورس متخصص مثل كورس المهارات الخمس لكتابة قانونية رفيعة الذي ستجد معلومات عنه في الموقع www.aimankhair.com

للتعرف على كيفية صناعة كورس تعليمي باستخدام مهارتك في الكتابة يمكنك الاطلاع على الموقع التالي: https://mastermind.com/ وهو نفس الموقع الذي استخدمته أنا في صناعة الكورسات التعليمية ومنها كورسات الصياغة القانونية الاحترافية ويمكنك زيارة الموقع www.aimankhair.com لمعرفة المزيد.

يجب عليك التفكير في زيادة رقعة المستفيدين من كتابتك، وكلما استطعت زيادة هذه الرقعة وعملت على زيادة القيمة وجودة هذه الكتابة، كلما استطعت تحقيق دخل إضافي لنفسك، لأن الدخل يتبع القيمة التي تقدمها.

في الختام أرجو أن يكون هذا الكتاب قد شكل عنصر إلهام لك، أو أضاف إلى معارفك فكراً أو أفكاراً جديدة لكي تتواصل مع العبقرية الكامنة لديك، وعلى المواهب التي وهبها لك الله. لقد أجمع الخبراء على أننا نستخدم ما لا يزيد عن 5 % الى 7 % من الإمكانات العقلية التي وهبنا لها الله، وعليه فإني على أتم الثقة على قدرتك على الإبداع، وعلى العمل للوصول بمسيرتك المهنية للمستوى التالي، لأن الإمكانات العقلية متوفرة لديك أصلاً، وكل ما تحتاجه هو أن تعمل على إيقاظها واكتشافها.

لذلك فاني أرجو أن يكون هذا الكتاب بمثابة الشرارة التي تشعل فتيل الإبداع والتطور لديك، والله ولي التوفيق وهو أهل ذلك والقادر عليه.

المراجع

References

Adams, K. A. (2017). *A Manual of Style for Contract Drafting* . Chicago: ABA Publishing.

Albright, W. H. (2014). *Legal research, analysis, and writing.* New York: Delman, Engage Learning.

Albright, W. H. (2014). *Legal Research, Analysis, and Writing* . New York: Delmar, Cengage Learning.

Canavor, N. (2017). *Business Writing for dumies.* New Jersey: John Wiley & Sons, Inc.

Clark, R. P. (2006). *Writing Tool, 50 ESSENTIAL STRATEGIES FOR EVERY WRITER.* New York: Little, Brown and Company.

Clark, R. P. (2006). *Writing Tools, 50 Essential strategy for Every Writer.* New York: Little, Brown and Company.

Cohen, M. (2015). *Critical Thinking Skills for DUMMIES.* Chichester, West Sussex: John Wiley & Sons, Ltd.

Crofts, A. (2007). *The Freelance Writer's Handbook, How to turn you writing skills into a successful business.* London: Piatkus Boks.

Dubai International Financial Center (DIFC). (2022, June 9). *Law & Regulations*. Retrieved from Dubai International Financial Center: https://www.difc.ae/business/laws-regulations/

Duhigg, C. (2013). *The power of habit: Why we do what we do and how to change.* London: Random House Books.

Elwork, A. &. (1997). *Stress management for lawyers: How to increase personal & professional stisfaction in law.* Gwynedd: Vorkell Group.

Garner, B. A. (2013). *LEGAL WRITING IN PLAIN ENGLISH, A Text with Exercises.* Chicago: University of Chicago Press.

Gutmann, J. (2016). *Taking Minutes of Meetings.* London: Kogan Page Limited.

Khair, A. A. (2018). Insight into Sudan's Legal System: Dusting Off the Arab Wold's Only Common Law Jurisdiction. *MENA Business Law Review* , 42-45.

Landon, B. (2008). *Building Graet Sentences: Exploring the Writer's Craft.* Chantilly: The Great Courses.

Nordquist, R. (2019, August 12). *IRAC Method of Legal Writing.* Retrieved from ThoughtCo.: https://www.thoughtco.com/irac-legal-writing-1691083

Robbins, A. (1986). *Unlimited power.* New York : Free Press.

Rylance, P. (2012). *Writing and Drfating in Legal Practice.* New York: Oxford University Press Inc.

Spence, G. (1995). *How to Argue and Win Every Time.* New York: St. Martin's Press.

Trachtman, P. P. (2013). *The Tools of Argument, How the Best Lawyers Think, Argue and Win.* North Carolina: CreateSpace Independent Publishing Platform.

Wilbers, S. (2014). *Mastering the Craft of Writing, How to Wite with Clarity, Emphasis and Style.* Blue Ash: Writer's Digest Books.

آدم كوك و ستيورات كوك وتان. (2015). *سيطر على عقلك صمم مصيرك: استراتيجيات مجربة تمكنك من تحقيق أي شي تريده في الحياة*. بدون مدينة: مكتبة جرير.

الحياري, ا ,2020) .مارس 5 .(*قواعد العدد و المعدود*. Retrieved from موضوع أكبر موقع عربي بالعالم : https://mawdoo3.com/%D9%82%D9%88%D8%A7%D8%B9%D8%AF_%D8%A7%D9%84%D8%B9%D8%AF%D8%AF_%D9%88%D8%A7%D9%84%D9%85%D8%B9%D8%AF%D9%88%D8%AF

العمودي, س ,2021) .سبتمبر 13 .(*ماهو الفعل المعتل*. Retrieved from موضوع أكبر موقع عربي بالعلم : https://mawdoo3.com/%D9%85%D8%A7_%D9%87%D9%88_%D8%A7%D9%84%D9%81%D8%B9%D9%84_%D8%A7%D9%84%D9%85%D8%B9%D8%AA%D9%84%D8%9F

تعامرة, ي ,2018) .يونيو 7 .(*تقديم المفعول به على الفاعل*. . Retrieved from موضوع أكبر موقع عربي بالعالم : https://mawdoo3.com/%D8%AA%D9%82%D8%AF%D9%8A%D9%85_%D8%A7%D9%84%D9%85%D9%81%D8%B9%D9%88%D9%84_%D8%A8%D9%87_%D8%B9%D9%84%D9%89_%D8%A7%D9%84%D9%81%D8%A7%D8%B9%D9%84

سامي صقر. (2018). *تعلم قواعد النحو والاعراب*. الشارقة: دار الأسرة للنشر و التوزيع.

سلسة الادارة التعليمية .(2019) . *اللغة العربية الفصل الدراسي الثاني* .مسقط: دار نهضة مزون للطباعة والنشر و الاعلان.

عماد, ا ,2018) .ديسمبر 28 .(*لماذا اخترع الانسان الكتابة وما أهميتها ومراحل تطورها؟* .لماذا؟ Retrieved from : https://www.limaza.com/%D9%84%D9%85%D8%A7%D8%B0%D8%A7-

%D8%A5%D8%AE%D8%AA%D8%B1%D8%B9-
%D8%A7%D9%84%D8%A5%D9%86%D8%B3%D8%A7%D
9%86-
%D8%A7%D9%84%D9%83%D8%AA%D8%A7%D8%A8%
D8%A9-%D9%88%D9%85%D8%A7-
%D8%A3%D9%87%D9%85%D9%8A%D8%AA/

عوض الله, م ,2020) .مارس 5 .(*الممنوع من الصرف*. Retrieved from
موضوع أكبر موقع عربي في العالم :
https://mawdoo3.com/%D8%A7%D9%84%D9%85%D9%85%D9%86%D9%88%D8%B9_%D9%85%D9%86_%D8%A7%D9%84%D8%B5%D8%B1%D9%81

كوفي, س. آ .(2018) .*العادات السبع للناس الأكثر فعالية: دروس فعالة في التغيير الشخصي* .بدون مدينة: مكتبة جرير.

وزارة العدل بدولة الامارات العربية المتحدة ,2021) .أبريل 29 .(*بوابة القوانين و التشريعات* .وزارة العدل بدولة الامارات العربية المتحدة Retrieved from :
https://elaws.moj.gov.ae/mojANGULAR/index.aspx

وزارة العدل و الشؤون القانونية ,2022) . يونيو 9 .(*التشريعات*. Retrieved fromوزارة العدل و الشؤون القانونية :
https://www.mjla.gov.om/legislation/laws/#

المراجع باللغة العربية

آدم كو وستيورات تان. (2015). سيطر على عقلك صمم مصيرك: استراتيجيات مجربة تمكنك من تحقيق أي شي تريده في الحياة. بدون مدينة: مكتبة جرير.

ايمان الحيارى. (2020). *قواعد العدد والمعدود* .تم الرجوع بتاريخ 1 يوليو 2022 الى موقع موضوع أكبر موقع عربي بالعالم : https://mawdoo3.com/%D9%82%D9%88%D8%A7%D8%B9%D8%AF_%D8%A7%D9%84%D8%B9%D8%AF%D8%AF_%D9%88%D8%A7%D9%84%D9%85%D8%B9%D8%AF%D9%88%D8%AF

ايمان عماد .(2018) .لماذا اخترع الإنسان الكتابة وما أهميتها ومراحل تطورها؟ تم الرجوع بتاريخ 4 يونيو 2022 الى موقع: https://www.limaza.com/%D9%84%D9%85%D8%A7%D8%B0%D8%A7-%D8%A5%D8%AE%D8%AA%D8%B1%D8%B9-%D8%A7%D9%84%D8%A5%D9%86%D8%B3%D8%A7%D9%86-%D8%A7%D9%84%D9%83%D8%AA%D8%A7%D8%A8%D8%A9-%D9%88%D9%85%D8%A7-%D8%A3%D9%87%D9%85%D9%8A%D8%AA/

مبتسم عوض الله. (2020). *الممنوع من الصرف*. .تم الرجوع بتاريخ 1 يوليو 2022 الى موقع موضوع أكبر موقع عربي بالعالم :

https://mawdoo3.com/%D8%A7%D9%84%D9%85%D9%85%D9%86%D9%88%D8%B9_%D9%85%D9%86_%D8%A7%D9%84%D8%B5%D8%B1%D9%81

سعيد العمودي. (2021). *ما هو الفعل المعتل*. .تم الرجوع بتاريخ 1 يوليو 2022 الى موقع موضوع أكبر موقع عربي بالعالم :
https://mawdoo3.com/%D9%85%D8%A7_%D9%87%D9%88_%D8%A7%D9%84%D9%81%D8%B9%D9%84_%D8%A7%D9%84%D9%85%D8%B9%D8%AA%D9%84%D8%9F

سلسة الادارة التعليمية. (2019). اللغة العربية الفصل الدراسي الثاني. مسقط: دار نهضة مزون للطباعة والنشر والاعلان.

ستيفن آر. كوفي. (2018). العادات السبع للناس الأكثر فعالية: دروس فعالة في التغيير الشخصي. بدون مدينة: مكتبة جرير.

وزارة العدل بدولة الامارات العربية المتحدة. (2021, أبريل 29). بوابة القوانين والتشريعات. تم الرجوع الى موقع وزارة العدل بدولة الامارات العربية المتحدة: https://elaws.moj.gov.ae/mojANGULAR/index.aspx

يارا تعامرة. (2018) *تقديم المفعول به على الفاعل*. تم الرجوع بتاريخ 1 يوليو 2022 الى موقع موضوع أكبر موقع عربي بالعالم :
https://mawdoo3.com/%D8%AA%D9%82%D8%AF%D9%8A%D9%85_%D8%A7%D9%84%D9%85%D9%81%D8%B9%D9%88%D9%84_%D8%A8%D9%87_%D8%B9%D9%84%D9%89_%D8%A7%D9%84%D9%81%D8%A7%D8%B9%D9%84

شكر وتقدير

ان خروج هذا الكتاب بهذا الشكل الذي ترونه لم يكن عملاً انفردت به، بل شاركني في هذه الرحلة المباركة نفر كريم من الأصدقاء والزملاء الذين أدين لهم بالشكر والعرفان. لن يسعني أن أذكر أسماء الجميع، ولكن سأجمع أمثلة ترد في هذه الصفحة دون أن يكون للترتيب أي دلالة خاصة.

أود أن أشكر الأستاذة جاتا ويلو بمبا من ويلوز هاوس للطباعة والنشر على دعمها وجهدها في نشر هذا الكتاب. وأشكر أيضاً د. مصطفى محمد أحمد نصر الصحفي وأستاذ اللغة العربية (وابن خالتي) الذي قام بأعمال التدقيق اللغوي والنحوي لهذا الكتاب. كما أشكر أستاذتيَّ التين أدين لهما بالفضل وهما جينا اليكسندرس وجين برايس من كلية القانون بجامعة تورنتو (سابقاً). وأشكر أيضا د. الواثق عطا المنان.

وأخص بالشكر أسرة مكتب عبد العزيز الراشدي ومنذر البرواني للمحاماة والاستشارات القانونية (مكتب بي أس أي بن شبيب) بمسقط، وفي مقدمة الركب الأستاذ عبد العزيز الراشدي والأستاذ منذر البرواني والأستاذ أحمد الطاهر والأستاذ عبد المنعم الرفاعي وجميع الزملاء والعاملين بالمكتب. كما أشكر الأستاذ دالي رحمة الله الحبوب الشريك بمكتب دنتونس عمان والأستاذ يقظان البوسعيدي من مكتب يقظان البوسعيدي للمحاماة بمسقط.

أتقدم بجزيل الشكر للدكتور حسين الغافري عميد القانون بالجامعة العربية المفتوحة وأشكر د. رياض البلوشي مدير قسم المعاهدات بوزارة العدل والشؤون القانونية. وأشكر توماس ويقلي المدير الشريك في مكتب تراورس آند هاملنس بمسقط. أشكر أيضا الأستاذ ناصر المغيري مالك المعهد العماني للتدريب والأستاذ وارث الخروصي المدير الشريك للمعهد العماني للتدريب ومعهد مهارات و د. صورية مزوز وجميع فريق العمل بالمعهد على دعمهم ومساندتهم. كما أخص بالشكر الأستاذ زاهر العزري من كلية القانون بجامعة السلطان قابوس ود. طارق محمد أستاذ القانون بجامعة البريمي.

أتقدم بجزيل الشكر للدكتور علي الصديقي من دولة البحرين و د. ايهاب السنباطي الشريك بمكتب دي ال أي بايير للمحاماة و المحامية الأمريكية لورا فريدريك مؤلفة كتاب How To Contract والمحامية الأمريكية ندى النجفي مؤلفة كتاب Contract Redlining Etiquette وأشكر الأستاذ على الفقيه مؤسس مكتب على الفقيه للمحاماة و الاستشارات القانونية و الأستاذ مالك الشرياني مؤسس مكتب مالك الشرياني للمحاماة و الاستشارات القانونية بمسقط.

وأحب أن أشكر زملائي وأصدقائي عمار محمد أحمد الحاج وحمد الربيعي وفارس الشرجي. وأشكر صديقي الأستاذ فضل الله سليمان المستشار القانوني وسكرتير مجلس الإدارة ببنك العز الاسلامي والأستاذ حسام أحمد عمر المستشار القانوني المعروف بمسقط على دعمهم ومساندتهم في اعداد هذا الكتاب. وأشكر زميلي الأستاذ أحمد حسن عثمان المحامي بمسقط والأستاذ نزار جعفر المبارك مدير مكتب مهند العامري للمحاماة والاستشارات القانونية بمسقط، كما أشكر الأستاذ محمد الطيب السعيد الشريك في شركة عبد الله النوفلي ومحمد الطيب للمحاماة (شركة مدنية للمحاماة) والأستاذ إبراهيم جبير من شركة ظفار للتأمين على دعمهم وبذلهم للنصح والارشاد. كما أشكر الزميلين الأستاذ جمال توفيق والأستاذ الدكتور حسام أحمد حسين المستشارين القانونيين بدولة قطر.

وفي الختام أشكر أصدقائي أحمد حمزة والأخ الهادي ربيع عمر والأخ إبراهيم سعد بدولة الامارات العربية المتحدة والأخ خليل الخير خوجلي بالولايات المتحدة على دعمهم ومساندتهم.

، الخمس لصياغة قانونية رفيعة

CW00430090